I

HCL

Me lo dijo mi almohada

Elena Dreser

Ilustraciones de Iván Villegas

EDITORIAL
Progreso

Respete el derecho de autor.
No fotocopie esta obra.
CeMPro

Teléfono: 1946-0620
Fax: 1946-0655
e-mail: ediciones@editorialprogreso.com.mx
e-mail: dircomercializacion@editorialprogreso.com.mx

Dirección editorial: Yolanda Tapia Felipe
Coordinación de la colección Rehilete: Marisela Aguilar Salas
Coordinación de diseño: Rigoberto Rosales Alva
Ilustración: Iván Villegas Vázquez
Staff editorial: Rosaura González Urbina

Derechos reservados:
© 2003 Elena Dreser
© **2003 EDITORIAL PROGRESO, S. A. DE C. V.**
Naranjo No. 248, Col. Santa María la Ribera
Delegación Cuauhtémoc, C. P. 06400
México, D. F.

Me lo dijo mi almohada
(Colección Rehilete)

Miembro de la Cámara Nacional de la Industria Editorial Mexicana
Registro No. 232

ISBN: 970-641-475-4

Impreso en México
Printed in Mexico

1ª edición: 2004
2ª reimpresión: 2006

Créditos

Lecciones de náhuatl, del investigador Héctor Mancilla Sepúlveda.

El ecoturismo en el estado de Morelos, del doctor Salvador Aguilar Benítez

Esta obra se terminó de escribir con el apoyo del Fondo Estatal para la Cultura
y las Artes de Morelos, beca para creadores con trayectoria: 1999-2000.

ÍNDICE

El capricho

Hacía mucho tiempo que Ramona podía considerarse una niña mayorcita: *"Hecha y derecha"*, como decían sus abuelos. Es que ya no era necesario recordarle si debía arreglar su cuarto o hacer las tareas escolares. Y, a pesar de lo mucho que le fastidiaba, hasta cumplía con su obligación de saludar y atender amablemente a las visitas.

Los adultos estaban felices. Los viejos caprichos de Ramona parecían algo del pasado. Últimamente, todo iba de maravillas, perfecto... ¡hasta aquella tremenda tarde cuando se atravesó el desastre de la almohada, y el tiempo pareció retroceder!

Ramona tenía una almohadita muy querida. Los mayores aseguraban que era su segunda almohada.

Pero como ella no recordaba la primera, sentía que ésa era la única, la que estuvo a su lado desde siempre con su punta descosida. Cuando Ramona apenas sabía caminar, escondía sus dedos pequeños en la rotura de la almohada, enganchándola bien firme mientras dejaba afuera su dedo gordo para chuparlo rico.

Al comprar aquella almohada, la mamá de Ramona quiso agregarle un signo de amor para que su hijita no durmiera tan sola. Dibujó un corazón sobre la tela nueva, y luego lo bordó encima con hilo rosa. Cuando Ramona fue creciendo, todas las noches levantaba una orilla de la funda buscando las puntadas rosas. Necesitaba comprobar que el corazón bordado aún seguía allí para velar su sueño.

Y aquella distante mañana, en que Ramona ingresó a la escuela, la almohadita fue su acompañante durante esas largas horas lejos de su familia. Después, poco a poco, la almohada se quedó en casa; pero continuó siendo el gran amor de Ramona por muchos años más.

Y de tanto usarla y lavarla, y de tanto que andaba de arriba para abajo, la almohada se gastó. Se veía diminuta comparada con el tamaño de quien la usaba. Estaba deformada, percudida y con el forro hecho jirones, ya no le quedaba sitio para otro remiendo.

La madre de Ramona la había arreglado muchas veces y, otras tantas, había amenazado con arrojarla a la basura. Nada más que siempre se enfrentaba con LA GRAN DEFENSORA DE ALMOHADAS VIEJAS. Así que la almohadita continuó invencible sobre la cama de Ramona, sostenida únicamente por el amor de su dueña, ¡hasta aquel nefasto día en que se interpuso la voluntad de la madre, y la pobre almohada ya no tuvo escapatoria!

Fue un viernes. Brillaba el sol en la ciudad de Cuernavaca como cualquier día normal. Ramona se encaminó a su escuela igual que de costumbre. No imaginó ni por un momento la "tragedia" que se desataría unas horas más tarde.

La madre de Ramona decidió que el dormitorio de su hija necesitaba un rincón adecuado para el estudio. Y como la única manera de hacer espacio era quitando algunas cosas, tuvo la ocurrencia de comenzar por una revisión ¡a fondo!, de lo útil y de lo inútil que había en aquel cuarto. Y cada vez que la madre tenía esa ocurrencia, los objetos de la casa parecían temblar mientras decían: ¡sálvese quien pueda!

Y así fue. Muy pronto se formó una pequeña montaña en la habitación de la niña. Todo iba a dar allí: la ropa que le quedaba chica a Ramona, las sábanas que le quedaban chicas a la nueva cama, los cuadernos usados, los juguetes de antes y, por supuesto: la vieja, rota y percudida almohadita.

Ramona no lo supo de inmediato. Aquel mediodía regresó alegre de la escuela, correteando mariposas como siempre, sin suponer lo que estaba ocurriendo en su dormitorio. En cuanto entró a la casa, su mamá dijo:

—Hijita, tu cuarto quedó precioso. Renové algunas cosas, y ahora tienes más espacio. Puse tu escritorio junto a la ventana y...

Ramona sintió que algo caía sobre ella. Era una alarmante y espantosa sospecha. No quiso demorarse en seguir escuchando. Corrió a su habitación para ver su cama, su...

—¡MI ALMOHADA! —gritó Ramona—. ¿Dónde está mi almohadita?

Sería muy largo enumerar todo lo que hizo y dijo Ramona en aquel tremendo día. Basta con decir que nadie en la casa sintió orgullo por su comportamiento. La familia completa pensó que Ramona volvía a ser una niña pequeña. Cuando el padre regresó del trabajo ya era de noche, y todavía continuaba la discusión. Por eso el señor intervino:

—Es demasiado escándalo por tan poca cosa, hija. Sólo se trata de una insignificante almohada.

—¡¡INSIGNIFICANTE?? —contestó Ramona, casi llorando—. ¡Significaba mucho para mí!

Y como no lograban salir de la discusión, la madre dijo:

—¡Ya basta de berrinches, hija!

Y el padre agregó:

—¡Ah, qué muchachita! ¡Quejarse por estrenar algo! M'hija, no sabes apreciar lo que tienes.

Y hasta el primo que andaba por ahí, también se entrometió:

—¡Uf! ¡Qué chillona! Pareces una bebita.

Ramona prefirió quedarse callada, no iba a empeorar la situación contestándole a su primo exactamente lo que se merecía. Ya tendría oportunidad para "arreglar" las cosas con él. Por lo pronto, fue a darse un buen baño nocturno para quitarse de encima aquel horrible día.

Mientras el agua le salpicaba en la cara, Ramona sentía que se libraba de las lágrimas y de la rabieta de aquella tarde. Ya en su cuarto, pudo comprobar que contaba con más espacio; su mami había trabajado mucho para dejarlo cómodo, todo lucía mejor. También reconoció que la nueva almohada era más adecuada a su edad: esponjosa y mullida como son las almohadas nuevas. Olía a fresco, a limpio y a estreno.

Sólo que Ramona era algo caprichosa, y después de tanto alboroto no estaba dispuesta a consentir el cambio así nada más. ¡No le habían consultado! ¡Se consideraba víctima de un atropello, y hasta el momento nadie lo quería reconocer! Únicamente deseaba justicia. Necesitaba que alguien razonara con ella, que una persona con imaginación le diera un buen motivo para aceptar ese obligado canje de almohadas.

Entonces, Ramona llamó por teléfono a sus abuelos, quienes vivían cerca, y les contó su "terrible tragedia". De inmediato los abuelitos se encaminaron por la calle angosta, rumbo al rescate de su consentida.

Sabían que a su nieta no le pasaba nada grave, así que iban tranquilos a su encuentro. Disfrutaban el aire tibio de la noche, mientras recibían el saludo perfumado de las flores que asomaban en racimos sobre los muros de piedra. Apreciaban la tibieza de las noches tropicales porque ellos habían crecido en un clima muy diferente: en lo más al sur de América.

Cuando llegaron, el abuelo aceptó un café en la cocina; y la abuela fue directamente a darle un beso a su nieta. La encontró tan triste, que la arrulló en sus brazos como cuando era pequeña. Luego la abuela dijo:

—Ramonina, a veces tenemos que alejarnos de las cosas o de las personas que amamos. Y, a veces, son las cosas o las personas quienes se alejan de nosotros. Lo importante es que siempre nos quedan lindos recuerdos de todo aquello que nos acompañó.

La abuela poseía el encanto de apaciguar los enojos ajenos. Aunque a esa hora, el enojo de Ramona ya había terminado; sólo le quedaba mal humor y tristeza. La abuela continuó:

—Mi nieta es inteligente, y la inteligencia se demuestra resolviendo problemas. Pero ya que estoy aquí, hoy quiero ayudarte a resolver este problema... Veamos, veamos... ¡Ah! Sí. Me he fijado que te encanta hojear los libros de geografía de tu abuelo, se te nota un gran deseo por conocer otros lugares, ¿verdad?

—Sí, abue —dijo Ramona, entusiasmándose un poquito—. Cuando sea grande voy a viajar mucho: de un polo al otro, de la selva al desierto, del bosque al mar, de la llanura a la montaña...

—Ramonina: ¿Te das cuenta de que entonces deberás dormir en diversos sitios, en distintas camas y con diferentes almohadas? ¿Lo has pensado?

No, definitivamente, ¡Ramona jamás lo había pensado! Se quedó en silencio, un poco avergonzada por su capricho. No sabía qué responder. Entonces, la abuela continuó:

—¿Cómo vas a resolverlo? ¿Cuál es la solución de este problema? ¿Acaso abandonarías tus sueños de recorrer el mundo, nada más por no perder la comodidad de tu cama?

—¡No! —dijo la nieta—. La comodidad no me importa.

—¿Y bien? ¿Cuál es la solución, entonces?

Ramona se quedó pensativa por un momento. Supo que iba a encontrar la respuesta, porque ya en otras ocasiones había jugado con su abuela a resolver problemas imaginarios. Así que después de un momento, dijo con gran seguridad:

—¡Ya sé! La solución de este problema es... ¡adaptarme a las circunstancias!

—¡Exacto! —aseguró la abuela—. Y ahora se te presenta la oportunidad de probar esa estrategia.

—Sí —reconoció Ramona—. ¡Adaptándome a mi nueva almohada!

Ambas se abrazaron. El mal humor había escapado por la ventana abierta. Pero a Ramona aún le quedaba la tristeza. De pronto, la abuela puso cara de misterio y dijo:

—¿Te gustaría saber un secreto, Ramonina?

A Ramona se le iluminaron los ojos. Y la abuela, bajando la voz, dijo:

—Las almohadas nuevas... ¡traen sueños nuevos!

La nieta la miró asombrada. No entendía de qué hablaba su abuela. Ni siquiera se atrevió a preguntar. Prefería quedarse callada con los ojos muy abiertos y los oídos atentos.

—Pero no hay que decirle a nadie, ¿eh? —dijo la abuela, más misteriosa aún—. En las almohadas habita el ángel de los sueños. Seguramente a tu ángel ya le quedaba chica la vieja almohadita. Ahora tiene más espacio donde jugar, donde hacer travesuras para llenar tus noches de lindos sueños.

Entonces, la tristeza también voló, abriéndose paso entre las cortinas de la ventana abierta, dejando entrar el aire perfumado de la noche y el canto de los grillos. Ramona ya contaba con una nueva ilusión. La abuela arropó a su nieta mientras la arrullaba, cantándole el "Arrorró" como cuando era pequeña. Luego se despidió con un beso, y salió de puntillas.

Blanco y negro

Me encuentro en Laponia, ¡brrr!, dentro del Círculo Polar Ártico, donde los abedules ya no se atreven a crecer y donde la tundra apenas asoma su diminuta vegetación.

Soy una liebre vivaracha, muy inquieta y saltarina. Mis amigos me llaman "Temblepatas"; aunque en realidad soy una liebre ártica, blanca como la nieve que en esta zona nunca se derrite por completo, ¡brrr! Además, mis orejas tienen manchas negras, tan negras como las piedras en que voy brincando. Corro sobre estas rocas negras que brillan por sus pequeños cristales, y me deslizo patinando por esta nieve tan blanca que refleja la luz del sol.

Me gusta hacer ejercicio y ensayar mi salto-liebre si el tiempo es bueno. Pero cuando está nevando, ¡brrr!, prefiero mi madriguera tibia que me protege del frío. La escarbé muy profunda en la tierra, con su entrada secreta junto a un negro peñasco de carbón. Hay muchos peñascos iguales alrededor, aunque yo nunca me equivoco: siempre sé cuál es el mío.

Por debajo de los blancos manchones de nieve, casi todo el suelo es de piedra negra, ¡brrr! Vivo sobre una de las minas de carbón más grandes del planeta. Esto no debería saberlo una pequeña liebre; pero yo soy una liebre-sueño, por eso lo sé.

Estamos a principios de junio. En unos días comenzará el verano en el Hemisferio Norte. Aquí en Laponia, jamás oscurece en esta época; el sol de medianoche rueda por el horizonte sin esconderse nunca. Y alumbrada por su mágica luz avanzo de brinco en brinco. No tengo miedo de que me vean porque me confundo con el paisaje. Estoy rodeada de blanco: blanco nieve, blancuzco nube, blanquecino vapor, ¡brrr!

El sol constante ha derretido parte de la nieve, formando finos arroyitos de agua cristalina que se escurren entre las piedras. Ahora sólo quedan manchas blancas sobre los riscos oscuros, igual que mi pelo. *Soy una liebre de color variable. Mi pelaje comienza a cambiar al acercarse el verano, hasta que poco a poco desaparece su perfecto blanco y negro.*

¡Shh! Oigo un rumor de acero y de rieles, chufff chufff. ¡Es el tren! ¡Brrr! Llega cargado de viajeros que vienen a contemplar el sol de medianoche por el ferrocarril más boreal de Europa. Finjo que soy una piedra cubierta de nieve. Parece que lo hago muy bien porque nadie me descubre.

Soy una liebre traviesa, y también soy una liebre prudente. Hay muchas amenazas por aquí. Tengo que cuidarme del zorro ártico y del halcón gerifalte, el más grande de todos los halcones, ¡brrr! Muchos de mis enemigos son blancos o casi blancos, difíciles de ver en esta superficie totalmente blanca en el invierno, y salpicada de blanco y negro en el verano.

Correteo por la tundra, pero soy cuidadosa con mis saltos. No me acerco a los nativos lapones, les tengo miedo a sus grandes renos con enormes cuernos en forma de ramas, ¡brrr! Cualquier liebre juiciosa sabe que no debe arriesgar su vida por olfatear un campamento lapón. Y yo soy una liebre juiciosa, o al menos trato de serlo. Observo todas las señales de alarma, hasta le presto atención a mi pata que tiembla cuando me asusto, ¡brrr! Tiembla tanto, que por eso me dicen "Temblepatas".

Ayer estuve a punto de tener un accidente por acercarme al peligro silencioso, a ese monstruo que no avisa. Siempre está allí, agazapado, ¡brrr!, esperando que las liebres distraídas den un mal paso. Son los fiordos, esas profundas huellas de antiguos glaciares ahora invadidas por agua de mar. Pero no fue por distraída que casi me despeño hacia el abismo, sino por un error de cálculo.

Caer en un fiordo puede ser fatal, ¡brrr!, cualquiera lo sabe. Aunque para una liebrecita inquieta como yo, resulta difícil mantenerse lejos de sus atractivas laderas con vegetación; la única nota de color en este eterno paisaje blanco y negro.

Y es que se me antojaron unos brotes tiernos y jugosos, ¡riquísimos! Asomaban tentadores, exactamente en la orilla donde la pared rocosa comienza a bajar en picada, ¡brrr! Me pareció que podía alcanzar aquellos brotes, al fin que sólo debía bajar mis patas delanteras, porque las de atrás quedaban arriba para sostenerme. ¡Qué error!

El agua del deshielo había convertido el terreno en pista de patinaje. Cuando quise retroceder, ¡no pude! ¡Mis patas traseras resbalaban sobre el suelo! ¡Y allá abajo me esperaba el hondo, hondísimo precipicio! ¡Brrr! ¡Fue un momento aterrador!, ¡escalofriante! ¡Brrr! ¡Y la tonta de mi pata no paraba de temblar!

Entonces, recordé aquel viejo consejo: "En vez de llorar, busca una salida". Miré alrededor, y vi a mi alcance una raíz saliente que parecía querer ayudarme. Me sujeté de ella con mis patas delanteras, trepé con fuerza... ¡y pude subir! ¡Brrr! ¡Qué susto! Por poquito dejo de ser una inquieta "Temblepatas" para convertirme en una quieta, quietísima "Patasrotas".

He decidido ser más precavida, pero no miedosa. Esta es tierra de valientes. Un poco más al sur, donde crecen los pinos y los abedules con su corteza blanca, habitaban los bravos vikingos, ¡brrr! Eso fue hace siglos, ya lo sé, pero aún hoy ¡daría muy mala impresión una liebre miedosa!

Por ahora, me divierto disfrutando del eterno día polar con su mágico sol de medianoche. Y en invierno, me regocijo con la noche larga que dura meses y con los tonos ondulantes de la increíble aurora boreal. No me importa mucho el frío, ¡brrr!, bueno, sólo un poco. Y es que tengo una madriguera cálida y un buen abrigo que me cubre: mi largo pelaje blanco con su elegante toque de negro.

Hoy el clima está hermoso, así que salgo a corretear por esta tundra ancha y generosa para dar brincos saltarines y ensayar piruetas con rebote. ¡Soy una liebre traviesa! ¡Y también soy una liebre feliz!

El entusiasmo

La mañana siguiente fue sábado. Ramona pudo despertar temprano gracias al canto de los pájaros. Así que empleó el tiempo en arreglar su cuarto y tender su cama con almohada nueva. Después del desayuno, corrió por la calle angosta hasta la casa de sus abuelos. Necesitaba con urgencia hablar del sueño que tuvo; si no lo contaba rápido, se le podía olvidar.

La abuela supo de inmediato que algo hermoso le había sucedido a su nieta. Bastaba verle su carita iluminada por la emoción y, además, la prisa con que entró en la cocina diciendo:

—¡Abuelita! ¡Abuelita! ¡Es verdad! ¡Las almohadas nuevas traen sueños nuevos!

—¿Y el saludo, Ramonina? —preguntó la abuela.

—¡Ah!, sí —contestó la nieta, dándole un beso—. ¡Fue un viaje blanco y negro! —dijo Ramona, atropellando las palabras por hablar deprisa—. ¡Tenemos que ver el mapa, abue! Yo era una liebre traviesa que vivía en Laponia y...

Pero en aquel momento regresó el abuelo de trabajar en el jardín. Traía las botas enlodadas, algo que le molestaba mucho a su esposa. ¡Y comenzaron a discutir!

¡A veces, eran tan expresivos sus abuelitos! Ramona había escuchado que algunas personas del vecindario los consideraban "extraños". Aunque ella sabía que sólo hablaban diferente y tenían otras costumbres, pero que eran tan abuelos como todos los abuelos del mundo.

Así que soportó resignada el habitual "desacuerdo" entre sus abuelitos. Primero: porque ella pensaba que sería más corto. Segundo: por la ilusión de que al final escucharían el sueño.

No fue así. La abuela comenzó a servir el desayuno en la terraza, y ya no pudo prestarle atención a su nieta. En vez de escucharla, los abuelos insistían en hacerle comer algo.

—¡Pero neeena! —decía la abuela—. ¡Al menos, deberías tomar el juguito de naranja! ¡Está hecho con naranjas frescas del jardín!

—¡Recién cosechadas de nuestro árbol! —agregaba el abuelo—. ¡No hay mayor satisfacción que cosechar lo que uno mismo ha cultivado!

Ramona no tenía ningún interés en tomar doble desayuno. Ella sólo necesitaba un poco de consideración. ¡Nadie parecía entender la importancia de su viaje-sueño!

Cuando comprobó que no le hacían caso, se quedó callada y pensativa. Echó atrás el sillón para sentir el rico calor del sol en su espalda. Observaba los geranios de las macetas y los pajaritos que tomaban agua de la fuente, mientras se preguntaba si en Laponia las familias podrían desayunar al aire libre como en Cuernavaca. De pronto, la abuela dijo:

—Hay un estupendo método para guardar los sueños.

Ramona la miró con sus ojos sorprendidos, pensaba que nadie había querido escucharla. Entonces, la abuela continuó:

—El mejor método para no olvidar los sueños es anotarlos. Ésta es una buena oportunidad para comenzar un cuaderno de sueños. Así vas a poder conservar para siempre los más lindos.

Ramona regresó entusiasmada a su casa, iba dando brincos sobre el empedrado de la calle angosta. ¡Por supuesto que comenzaría su cuaderno de sueños aquella misma mañana! Después saldría a jugar. ¡Había tanto por hacer en aquel maravilloso día de sol! Además, faltaban muchas horas para que cayera la noche. Entonces, quizás, la visitaría nuevamente el ángel de los sueños.

Amarillo

Mi compañero y yo tenemos nuestra casa en un sitio elevado, a la misma altura que los altísimos postes de luz. Elegimos este lugar por su admirable vista. Vivimos junto a un precioso árbol, que ahora en otoño nos llena los ojos de amarillo: amarillo por aquí y amarillo por allá. Es un lujo tener un árbol así en esta región donde hay tan pocos árboles.

Estamos en el Hemisferio Sur. El invierno es frío, nebuloso e incoloro. La primavera es tibia, colmada de brotes y mariposas amarillas que vuelan por parejas en su danza amarillosa. El verano es caluroso, iluminado por girasoles y espigas de trigo que amarillean el paisaje. Pero la estación dorada es el otoño; la que disfruto en este mes de marzo con su policromía: ocres, tostados, amarillos, amarillejos, amarillentos.

Debajo se extiende la llanura: la Pampa inmensa y solitaria. Hacia el sur y hacia el oeste, poco a poco, el suelo se va secando. Hasta que en los límites con la Patagonia la tierra se vuelve arenisca, y los pastos se tornan paja amarillenta. Nunca nos arriesgamos a viajar tan lejos. Dicen que allí los ventarrones son traicioneros; y las puestas de sol, tan intensas como si la tierra misma ardiera en fuego.

Preferimos la seguridad de la Pampa, el aire cristalino y la llovizna que de tanto caer va formando charcos. Aquí la tierra es fértil, apenas arenosa y muy rica en fibras, ideal para construir viviendas como la nuestra.

Esta casa llama la atención. Su arquitectura es muy especial, pero así fueron por siempre los hogares de mis antepasados. La entrada es un sólido arco. Enfrente se ubica la sala y, en un recodo, la habitación que usamos como dormitorio. Todo es de barro. En su diseño no existe la línea recta. Los muros son redondeados, y también las uniones del techo, las paredes y el piso.

¡Es tan bonita nuestra casa! Parece de una sola pieza, semejante a una bella escultura. Mi compañero y yo la construimos pedacito por pedacito, incorporando a la mezcla una dosis importante de cariño. Nos quedó preciosa, redonda y perfecta como esos hornos de barro donde se hornea pan. Por fuera, es una construcción áspera y resistente para soportar la fuerza de los vendavales. Por dentro, es un refugio tibio y cómodo capaz de cobijar a más de dos.

En el arco de entrada, asoma la rama más alta del árbol que cubre el paisaje de amarillo intenso. El sol cae sobre las hojas y su reflejo entra en nuestra vivienda, iluminándola con destellos de luz amarillenta.

En este momento estoy sola. Me asomo por la puerta de mi casa; quiero ir en busca de comida. Pero veo moverse algo allá abajo entre la hierba: ¡señal de peligro! Quizás anda por ahí un zorro o una vizcacha... aunque se agitan sólo unas pocas espigas amarillas... ¡ya sé!, ¡es un ratón pampero! Lo bueno es que ningún animal puede llegar hasta aquí, mi casa es demasiado alta para ellos. De todos modos debo ser prudente. Hoy no iré en busca de semillas como otras tardes. ¡Hay que desconfiar de los ratones pamperos!

Por suerte, no necesito bajar a tierra; hoy puedo cambiar mi dieta. Salgo a rondar el árbol que está cargado de ricos frutos tan amarillos como sus hojas. Encuentro uno apetecible ¡y le doy un picotazo! El jugo me quita la sed y escurre por mi pecho, tiñéndolo de amarillo. Revoloteo cerca de las ramas mientras me deleito con el néctar del bocado amarillento.

Vuelo alrededor de mi hermoso árbol amarillo. Subo y bajo en un continuo movimiento de piruetas y volteretas. Me interno en el laberinto amarillo de su follaje. Voy y vengo, torno y retorno en esta danza repetitiva del vuelo. ¡Soy una pajarita! ¡Y mi casa redonda no es ni más ni menos que el primoroso nido de una pareja de horneros!

El cuaderno de
los sueños

Aquel domingo, Ramona se levantó más tranquila. Sabía que era posible atesorar cada uno de sus preciados sueños. Cumplió con las obligaciones de aquella mañana, y esperó una hora prudente para ir a casa de sus abuelos.

Ramona caminaba despacio, observando la gran variedad de pájaros que anidaban en los árboles del vecindario. En sus manos llevaba un misterioso cuaderno con girasoles y mariposas amarillas dibujadas en la primera página. Además, con plumón negro y letra grande, tenía claramente escrito:

Sueños de Ramona.

—¡Buenos días! —dijo la nieta, menos ansiosa que la mañana del sábado.

—¿Qué tal, Ramonina? —dijo la abuela, menos ocupada que la mañana del sábado.

—Comencé mi cuaderno de sueños —anunció la nieta—. Ya tengo dos: un viaje blanco y negro a Laponia, y otro amarillo a la Pampa.

—¿Amarillo? —preguntó la abuela—. Entonces soñaste con la Pampa seca.

—Mi viaje no es amarillo por el suelo seco, abue, sino por un árbol en otoño.

—¡Mhhh! —dijo la abuela—. En la Pampa hay pocos árboles.

—Sí, por eso mi árbol amarillo es tan especial —contestó la nieta—. ¿Puedo leértelo, abuelita? ¿Puedo leerte los dos sueños?

—¡Por supuesto, nena! Por las tardes me siento a tejer; ése es buen momento. Aunque ahora también dispongo de un rato para escucharte.

Ramona se acomodó sobre la alfombra, a los pies de su abuela. ¡Por fin podría leer sus sueños!

—El primero es blanco de nieve y negro de carbón —dijo Ramona, abriendo su cuaderno. Pero únicamente se quedó pensativa mirando a través de la ventana—. ¡Ay!, abuelita, ¡cómo me gustaría conocer la nieve! Algún día quiero ir a uno de esos países donde hay montañas nevadas.

—Pero Ramonina, aquí también tenemos nieve.

—¡¡Nieve en Cuernavaca?? —preguntó Ramona, asombrada.

—Bueno, no en esta ciudad —contestó la abuela—, pero a veces nieva en algunas regiones del norte mexicano.

—¡Yo nunca voy al norte, abuelita!

—No hay problema —dijo la abuela, sonriente—. Aquí en Morelos también tenemos nieve.

—¡¡Nieve en el estado de Morelos?? —continuó Ramona, llena de curiosidad.

—¡Ah! ¡Qué distraída! ¡Pero si la ves casi todos los días desde la azotea! Nada más que está un poco lejos.

—¡El Popo! —exclamó Ramona—. ¡De veras!

—Sí, el Popocatépetl —confirmó la abuela—. Aunque vivimos en el trópico, el Popocatépetl es tan alto que casi siempre está cubierto de nieve. Y en algunos inviernos muy fríos, la nieve llega casi hasta las faldas del volcán.

—¡Igual que el Kilimanjaro en África!

—¡Ah! ¡Qué buena memoria! —dijo la abuela, sorprendida—. Y sí... me parece que estás en lo cierto: el Kilimanjaro es un caso parecido al Popocatépetl, nieve en medio de un clima tropical.

—¡¡Por qué nunca fuimos, abue??

—¡¡Al Kilimanjaro??

—¡No, abuelita! ¡Al Popo! —exclamó Ramona, riéndose.

—¡Ah! ¡Ya me parecía! —dijo la abuela—. Sí, una vez fuimos al Popocatépetl; sólo que eras muy chiquita. Todos jugamos con la nieve, y hasta formamos un muñeco.

—Y ahora no se puede ir, ¿verdad? —preguntó Ramona, a pesar de que ya conocía la respuesta.

—No, ahora es más difícil —dijo la abuela—. Últimamente, el volcán ha estado en actividad. Quizá no se pueda llegar hasta la nieve.

—¡Ay!, abue, ¿hasta cuándo? —preguntó Ramona, sabiendo que su abuela no tenía la respuesta—. Y... ¿No se puede ver aunque sea un poco más de cerca?

—Sí, podríamos visitar alguno de los pueblos grandes que están casi al pie del volcán: Ocuituco o

Tetela... —dijo la abuela, pensativa—. Así, parte de tu sueño se haría realidad.

—¡Sí, abue! ¿Cuándo vamos? ¿Le digo a mi abuelo?... ¿o mejor a mi tío gordo?, él siempre anda por los pueblos y sabe mucho... ¡Vamos, abuelita! Si no puedo jugar con la nieve, al menos quiero ver el volcán de cerca...

—¡Tranquila, nena! ¡Hay que tener paciencia! —dijo la abuela, divertida por la prisa de su nieta—. Debemos organizarnos para salir temprano algún fin de semana; aunque por ahora podrías averiguar qué significa Ocuituco y Tetela. Deben figurar en el libro de náhuatl que te regaló el tío. Y mientras tanto, a seguir escribiendo esos lindos sueños. Por cierto... ¿No ibas a leerme algo de tu cuaderno?

—¡Ah! Sí, abuelita. Este primer viaje-sueño se llama Blanco y Negro: "Me encuentro en Laponia, dentro del Círculo Polar Ártico...".

Y así fue como Ramona inició la costumbre de escribir en el cuaderno de los sueños para luego leerle a su abuela. Siempre que la abuela podía, trataba de convertirle en realidad parte de esos sueños. Ramona escribía casi todos los días, especialmente aquellos sueños que le daban felicidad; los otros, prefería olvidarlos.

Verde Nilo

Soy un ratoncito navegante. Vivo en una embarcación turística que cada semana remonta el verde río Nilo. Estamos en la entrada de la época invernal, "chetui". Hace menos calor, y eso me pone muy contento. ¡Cuic!

En este lugar, las estaciones no significan mucho; el que regula las temporadas es el Nilo con la crecida de sus aguas y su retirada. Es el elemento más importante aquí, tal vez por eso lo llaman "El rey de los ríos". Dicen que es muy extenso. Nace en los grandes lagos africanos, atraviesa más de un desierto, va cambiando de color; y ya verde, verdísimo, desemboca en el mar Mediterráneo.

Yo sólo conozco bien la región de este crucero. Desde que nací, todo el tiempo navego: verde río arriba, verde río abajo. ¡Soy un experto! ¡Cuic! Conozco secretos importantes que no conocen otros ratones. Sé, por ejemplo, que el Nilo no se navega por el centro; hay que ir buscando las hondonadas. Pero eso no es ningún problema, en el crucero contamos con muy hábiles grumetes nubios. Ellos saben cómo llevar el barco sin chocar con los pequeños islotes cubiertos de maleza verde.

Hoy estamos anclados cerca de la presa de Asuán: final del viaje para algunos, principio para otros. Aquí nos detenemos el día entero porque cambia la tripulación y el grupo de viajeros. Los únicos que continuamos siempre a bordo somos el capitán y yo. ¡Cuic!

Cuando el capitán baja a tierra, yo también bajo. Nada más que él va por un lado; y yo, por otro. Pero en la noche cada quien regresa a su camita en el barco: el capitán, a su elegante camarote; y yo, a mi guarida en los conductos del aire. Duermo entre la bodega de alimentos y la cocina: es un lugar perfecto. ¡Cuic! No cambiaría mi bien ubicada madriguera ¡por nada del mundo!

Lo interesante de tener mi residencia en el barco es que puedo viajar. Y lo interesante de viajar es que aprendo mucho. Cuando era chiquito, sólo navegaba: verde río arriba, verde río abajo. ¡Cuic! Iba observando los veleros de pesca y los peces asustados, los agricultores cultivando en las verdísimas orillas y los niños bañándose en las verdísimas aguas. Miraba los verdes lotos y los verdes papiros y, más allá, las majestuosas y siempre verdes palmeras de dátiles. ¡Hasta que me cansé de tanto verde!

Fue entonces cuando se me ocurrió la idea de bajar en los puertos. Me llamaba la atención un templo al que siempre nos acercamos en el amanecer. Sus columnas misteriosas se recortan contra la luz del sol. Anclamos tan cerca de sus hermosas piedras talladas que hasta se pueden oler. Una mañana, junté suficiente valor, ¡cuic!, ¡y me animé a dejar el barco!

¡Qué emoción ver esos preciosos dibujos y jeroglíficos labrados en la roca! Es el templo Kom Ombo, dedicado al Dios Cocodrilo. Lo bueno es que ya no queda ningún cocodrilo en esta zona del Nilo. Únicamente hay tres en el museo: verdes, verdísimos, quietos, quietísimos ¡y bien embalsamados! ¡Cuic! No les tengo ni un poquito así de miedo.

Parece que en la antigüedad, aquí los cocodrilos eran tan sagrados como los escarabajos; aunque también se veneraban los buitres, los halcones, las serpientes ¡y hasta los gatos! ¡Cuic! ¡Cuic! ¡Cuic!

¡Qué infamia!: ¡gatos! ¡Cuic! ¡Cuic! Y es que en esta zona se adoraba casi todo lo que se movía, ¡todo!, ¡cuic!, ¡menos a los ratoncitos!

Después de la primera excursión a Kom Ombo, me entusiasmé con los paseos. Comprobé que además de ser un ratón navegante, podía ser un ratón trotacalles, como cualquier otro. Era capaz de vagar a gusto olfateando mercados y husmeando entre el heno de los camellos. Sólo debía deslizarme con cautela y astucia. Tuve que inventar fórmulas para divertirme en tierra, sin poner en peligro mi rica guarida junto a la cocina del barco. Y, sobre todo, tuve que aprender cómo transitar sin ser descubierto por los perros ni por los gatos, ¡cuic!

De tanto pensar y ensayar, descubrí un método mucho más cómodo y seguro con el que puedo explorar y conocer tanto como cualquier visitante. Es de lo más fácil: sólo necesito entrar al bolso de un turista distraído. También me sirven de transporte los estuches de las cámaras, de las filmadoras y hasta uno que otro sombrero. ¡Jamás una maleta! ¡Cuic! Debo asegurarme de que me van a pasear, y no correr el riesgo de quedarme depositado en el aeropuerto.

Hasta ahora ha sido un método infalible. Sólo he tenido alguno que otro inconveniente, como el de las piedras... ¡cuic!, y el de los perfumes... ¡Cuic! ¡Cuic! Bueno, son cosas que pasan, por eso ya no quiero viajar en bolsas de señoras. ¡Qué ocurrencia! Ponerse a recolectar piedras en pleno Valle de los Reyes, ¡con el calor que guardan las rocas del desierto!

Yo estaba en el fondo de una bolsita verde tejida, ¡lucía tan fresca! Las busco de materiales abiertos por el calor y, además, porque me gusta mirar por dónde ando. Habíamos disfrutado de una espléndida excursión al Valle de los Reyes y al de las Reinas. Conocí el sarcófago de alabastro, y vi de cerquita los maravillosos murales.

Ya íbamos de regreso cuando la señora guardó la primera piedra caliente... ¡Y cayó exactamente sobre mi cola! ¡Cuic! Después puso otra y otra. ¡Cuic! ¡Cuic!, ¡y quién sabe cuántas más! ¡Cuic! ¡Cuic! ¡Cuic! Es difícil saber qué fue lo peor: si la quemazón o el aplastamiento.

¡Tardé en recuperarme una semana completa! Tuve que permanecer en el barco todo el tiempo navegando: verde río arriba, verde río abajo. Pero al menos me queda el consuelo de que nadie supo mi desgracia. Esa humillación la viví yo solito, ¡cuic! En cambio, el desastre del perfume todavía me tiene avergonzado.

También sucedió, ¡¡cuándo no??, en la bolsa de una señora, ¡cuic! Aquel día visitamos los inmensos templos de Luxor y Karnak. Después de andar de una columna a otra, tomar montones de fotografías y darle cinco vueltas al escarabajo sagrado ¡uf!; yo únicamente deseaba regresar a mi guarida. Sólo que a mi viajera se le ocurrió ir ¡nada menos que de compras!

Corríamos de tienda en tienda sin comprar nada, como siempre hacen las señoras. Así que al cabo de un rato me instalé bien cómodo, porque el movimiento de la bolsa era arrullador. Me entró un rico sueño... Y de pronto, ¡cuic!, ¡desperté empapado en esencias del desierto!, ¡completamente untado en esos aceites aromáticos con que se elaboran los perfumes! ¡Cuic! ¡Cuic! Mi viajera había comprado varios frascos, y alguno seguramente se destapó.

Pasó mucho tiempo antes de poder librarme de aquel aceite pegajoso. Por más que me tallaba el pelo contra cualquier tapiz que encontraba en mis andanzas nocturnas, no lograba eliminar aquella esencia. ¡Seguía relamido, flaco y estrujado! ¡Cuic! A mi paso perfumaba cada uno de los rincones del barco, y el más impregnado era mi escondite.

Los cocineros estaban preocupadísimos porque la bodega de alimentos olía a perfume; también la *cocina, los manteles y cuanto objeto me quedaba cerca. Se desató una verdadera cacería en busca del supuesto frasco con perfume. Y, por supuesto, nadie pudo encontrar lo que no existía. Durante semanas no me atreví a bajar en los puertos. Me lo pasé todo el tiempo navegando: verde río arriba, verde río abajo. ¡Cuic!*

Pero esos percances han quedado en el pasado. Hoy debo planear mi excursión. Los turistas están bajando del barco, hay montones de bolsos y mochilas sobre el piso de madera. "Pin uno"... "Pin dos"... ¡Cuic! ¡Ya monté en uno! ¡Y allá vamos!

Pueden ocurrir tres cosas: la primera es que mi viajero entre a descansar en un hotel, lo cual no me sirve; la segunda es que visite el templo de Fila, muy interesante paseo pero corto; y la tercera, es que se dirija al gran templo de Abú Simbel en pleno desierto Nubio. ¡Y parece ser exactamente lo que está ocurriendo porque enderezamos rumbo al aeropuerto!

Desde el avión, veo primero la zona verde que rodea la presa de Asuán, después el desierto Nubio y en él los peñascos con forma de pirámides. Quizás por estas pirámides naturales fue que el más poderoso de los faraones, Ramsés II, decidió levantar en este sitio el más fantástico de los templos: Abú Simbel.

En cuanto aterrizamos, abandono al viajero que me ha cargado sin saberlo. La arena del desierto quema mis patitas, ¡cuic!, pero conozco pasadizos subterráneos entre la piedra caliza. Deslizándome por los túneles, llego muy rápido al corazón oscuro y húmedo del monumento.

Soy cuidadoso, me mantengo lejos de la vista ajena y más aún de los zapatos. Trato de andar por las sombras, orillando junto al moho verde que se forma entre el piso y los muros. Me siento un poco como el Dios de las Tinieblas. ¡Cuic! Lo bueno es que los visitantes siempre miran hacia arriba: las columnas, los murales... por eso nunca me descubren.

¡Hay tanto para ver! Junto al templo de Ramsés II está otro templo dedicado a su esposa Nefertary. Ambos frente al remanso de agua cristalina. Aquí el río no parece río, y tampoco parece Nilo. Tiene forma de lago ¡y no es ni un poquito así de verde! ¡Cuic! No es verde claro, ni verde seco ni verde agua. ¡Vaya absurdo! ¡Cuic! ¡Ni siquiera es verde Nilo!

En la escuela

¡Cuánto para escribir tenía Ramona en aquella mañana de sol! Pero los lunes son días de escuela. Durante las clases, ella estaba impaciente por regresar a su casa y aferrarse al cuaderno de sueños. ¡Necesitaba escribir urgentemente! ¡No era posible perder el sueño más nítido, más completo y real que había tenido en todos los años de su existencia!

—¿Oíste, Ramona? —preguntó la profesora—. ¿Estás prestando atención a la clase?

—¿¿Eh!! ¿¿Ah!! ¡Sí! —balbuceó Ramona.

—Bien. Lee tu tarea, por favor.

—¿Tarea? —dijo Ramona, algo sorprendida.

—Les pedí investigar el significado de algunas palabras en náhuatl.

—¡Ah! Sí, maestra.

—Bien, te escuchamos.

—Traje el nombre de dos pueblos: Ocuituco y Tetela del Volcán —dijo Ramona, orgullosa por su trabajo.

—¡Qué interesante! —opinó la profesora—. Investigaste topónimos.

—¿TOPO... qué? —quiso saber Ramona, quien siempre quería saber.

—Topónimo —explicó la profesora— es el nombre propio de algún lugar. Continúa, por favor.

—Ocuituco: lugar de los gorgojos —leyó Ramona—. Tetela: lugar donde hay abundantes piedras, pedregal.

—¡Muy bien! —dijo la profesora—. ¿Alguien más investigó topónimos?

Los alumnos leían uno por uno su tarea; pero Ramona ya andaba muy lejos, sumergida en el recuerdo de su hermoso viaje-sueño. Se imaginaba navegando para visitar antiguos templos con inscripciones grabadas en las paredes y en las columnas... Entonces, tocó el timbre del recreo; y todos los niños salieron rápidamente. Todos, menos Ramona, porque la profesora la llamó desde su escritorio, y luego le dijo:

—Hoy te veo distraída. Tú, que siempre eres tan atenta, ¿tienes algún problema?

—No, maestra —contestó Ramona—. Sólo estaba pensando en que me gustaría navegar. También conocer pirámides y templos antiguos con dibujos en las piedras.

—¿Y por qué no lo haces?

Ramona la miró extrañada. Ella pensaba que su maestra era muy sabia. ¿Cómo entonces se le ocurría que una niña podía viajar a países lejanos, así nada más por su propia decisión? La profesora la miró como adivinando sus pensamientos, y le dijo:

—Puedes cumplir con tus deseos sin ir muy lejos. Tenemos lagos navegables que están cerca: El Rodeo, Tequesquitengo... allí rentan lanchas. También por ese rumbo hay pirámides y templos antiguos con piedras talladas. ¿No conoces Xochicalco?

—¡De veras! ¡Xochicalco! —exclamó Ramona, un poquito avergonzada por no haberlo recordado antes—. Mi tío me habló de ese lugar.

—Si te atrae la arqueología, seguramente en el futuro vas a viajar por todo México —aseguró la profesora—. Hay tanto para ver: El Tajín, Tulum, Chichén Itzá... pero no tienes que esperar a ser mayor para ver pirámides, deberías comenzar por visitar las que tenemos aquí en la ciudad.

—¡Sí, las de Teopanzolco! —dijo Ramona, entusiasmada.

Continuaron hablando, hasta que los demás niños regresaron del recreo.

Entonces, la maestra dijo:

—Abran su cuaderno. Van a redactar un texto libre. Pueden contar algo real o algo ficticio: una anécdota o un cuento imaginado por ustedes. Lo que quieran. Pero eso sí, espero muy buena redacción y excelente ortografía. Utilicen el diccionario. Ya pueden comenzar.

¡Ramona no podía creerlo! ¡Definitivamente, era una chica con suerte!

—¡Ah! —dijo la profesora—. Junto al título, aclaren si la historia que van a escribir es vivida o imaginada.

—Maestra: ¿Los sueños son algo vivido?... ¿o son algo imaginado? —preguntó Ramona, algo inquieta.

—¡Mjh! No estoy muy segura —contestó la profesora, rascándose la oreja—. Pero creo que podemos incluirlos en la categoría de "algo vivido con la imaginación".

Ramona abrió su cuaderno. Escogió, entre los muchos colores de su estuche, un lápiz verde aceitunado para subrayar. En una hoja nueva escribió con letra bonita:

Título: Verde Nilo

(una historia vivida con la imaginación).

Castaño

Soy una ardilla un poquito nerviosa. Tengo dientes grandes y dedos fuertes para trepar por los árboles y arrancar frutos secos, ¡ñiuk! Sólo que las personas se fijan más en mi cola ancha con pelo suave del color de las castañas, ¡jii!, tan castañas como las Montañas Rocosas donde habito en el norte del continente americano.

Hace pocos días se fue el invierno, el "sueño largo", como le llamaban los pieles rojas. Ya estamos en primavera, ¡jii! Aquí comienza en marzo, exactamente al revés que en el otro hemisferio.

Vivo en el bosque, junto a una cueva natural cavada por el agua y el tiempo. La boca de la cueva se cubrió de escarcha durante el invierno, formando una perfecta rueda de hielo que tapaba la entrada. Ahora, el hielo ha comenzado a derretirse lentamente, ¡jii! Cada gota desprendida dibuja figuras geométricas que lucen como cristal estrellado. La puerta en su deshielo está tomando la apariencia de una gran flor cristalina de donde surgen ligeros hilitos de agua.

El agua fría y transparente se une a otros deshielos, hasta crear pequeños arroyos que corren ladera abajo. La tierra se oscurece con la humedad y su castaño claro se vuelve castaño oscuro. También las hojas del otoño, que cayeron seis meses atrás, han quedado al descubierto ahora que la nieve se ha derretido y brillan con diferentes tonos de castaño.

Vivo feliz en las Rocosas, soy una ardilla con buen humor. Disfruto esta primavera en medio de abetos, pinos y pinabetes cargados de ricos piñones castaños, ¡ñiuk! Sólo debo cuidarme de algunos peligros: en especial de los coyotes, las comadrejas y los gavilanes. Pero también tengo vecinos inofensivos, como las mariposas y los ruidosos mirlos de color castaño.

Hay túneles naturales, seguramente formados por ríos subterráneos hace unos cuantos siglos. Dicen que sirvieron de refugio a los buscadores de oro, ¡jii! Aquí era donde se aventuraban a padecer hambre y frío, siempre en busca de tesoros que casi nunca encontraban.

Este es el "viejo oeste". En los valles, todavía quedan antiguos poblados de madera por donde pasaba la ruta del oro. Y en la montaña, quedan como recuerdo los peñascos inmóviles con finas placas doradas que brillan al sol, ¡jii!, "el oro de tontos", que nada vale, y por el que muchos dejaron su vida aquí.

Ahora también llegan gran cantidad de jóvenes a estas tierras; nada más que ellos vienen buscando otro tesoro, el que nunca traiciona: el tesoro del conocimiento. Al pie de las Rocosas están las universidades. Y en el bosque, aquí donde yo vivo, ¡jii! hay cabañas de recreo que ocupan los estudiantes en los días festivos.

Por eso los conozco bien. Ellos dicen que prefieren estudiar en esta zona, por el silencio y la tranquilidad. Yo pienso que vienen porque adoran a las ardillas castañas, ¡jii! Muchos son de esta zona. También hay asiáticos, africanos, europeos... ¡de todos los continentes! Llegan del desierto, de la llanura, de la selva tropical...

Algunos tienen la piel castaña rojiza o castaña amarillenta; otros, mucho más oscura o mucho más clara. También hay de ojos alargados, oscuros como semillas de sandía; y de ojos redondos, transparentes, igual a los manantiales de este lugar: "springs". Pero la mayoría son de ojos totalmente castaños. Cada uno luce diferente; aunque todos, absolutamente todos, conservan una mirada de ternura para regalarle a una pequeña ardilla castaña, como yo, ¡jii!

Durante la semana los extraño un poco. Entonces me animo a salir del bosque. Bajo saltando de pino en pino y de abeto en abeto, ¡ñiuk!, entre musgo, hongos y flores silvestres. Llego hasta la universidad más cercana y me ubico frente a los dormitorios de los estudiantes en algún sitio libre de gatos, ¡ñiuk! Me concentro, como corresponde a una acróbata del bosque, y comienzo a improvisar piruetas enfrente de las ventanas.

En pocos minutos se asoma el primer joven que se deleita con mis acrobacias, ¡jii! Finjo que no lo veo. Subo y bajo de los árboles, ¡ñiuk! Luego me detengo tapándome el sol con mi cola. Tomo una bellota y la abro. Sé que a los estudiantes les encanta el movimiento rápido de mis dedos cuando hago girar las semillas, ¡jii! Ellos se agrupan para admirar mi pelo castaño y rojizo, y mi larga y esponjosa cola que a veces me sirve de sombrero.

Algunos gatos envidiosos piensan que lo hago por vanidad, ¡y no es así! ¡Claro que no! Mi única intención es alegrar a los estudiantes. Ellos están solitos, lejos de su casa y de sus mascotas. Yo sé que se creen mayores porque ya cumplieron un montón de años, ¡jii!, pero también sé que todavía mantienen su alma de niños. Por eso los entretengo, ¡ñiuk! Procuro hacerles sentir, a cada uno, que alguien los ama; aunque nada más se trate de una pequeña mascota ardilla con pelaje suave del color de las castañas.

Sueños para
una tarde de lluvia

Aquel martes por la tarde estaba lloviendo. De todos modos, Ramona visitó a su abuela durante la hora del tejido. Se enroscó a sus pies igual que un gato, y luego de un largo silencio dijo:

—Abue, estoy aprendiendo mucho con los sueños.

—Se aprende con los libros, Ramonina.

—¡De veras, abue! ¡En los sueños recorro lugares donde nunca estuve!

—Seguramente alguna vez leíste acerca de esos lugares —sostuvo la abuela.

—Sí —confirmó Ramona—. Pero ya se me había olvidado.

—Tal vez los sueños te sirven para recordar —dijo la abuela.

—Y también me sirven para escribir, abue. Mi maestra me felicitó, dice que estoy redactando muy bien; creo que fue por mi trabajo "Verde Nilo".

—Es que el sábado y el domingo escribiste mucho, Ramonina. ¡Esta semana llegaste a la escuela casi tan experta como una escritora!

Ambas rieron y se abrazaron. La abuela dejó el tejido por un momento, y trajo unas ricas galletitas para compartir con su nieta. Ramona leyó su viaje-sueño y las aventuras de la ardilla castaña en ese hermoso bosque, tan igualito a los que aparecían dibujados en sus libros de cuentos. Entonces, la abuela se quedó pensativa; así, como se quedan a veces las abuelas. Después de un momento, dijo:

—Ramonina, estamos muy encerrados últimamente. Hace tiempo que no salimos a pasear por la provincia, desde que eras chiquita, por eso olvidaste aquellos paseos. ¡Hay que ponerle remedio! Esta noche les voy a preguntar a tus papis si te dan permiso para ir el domingo a Huitzilac.

—¿Hutzilac? —preguntó Ramona, asombrada.

—¿No es que te gustaría andar por un bosque de pinos, con ardillas incluidas y todo lo demás?

—¡Sí, abue, sí!

—Bueno, si te dan permiso, ¡este domingo vamos con el abuelo a los bosques de Huitzilac!

—¿Queda muy lejos, abue? —quiso saber Ramona, quien siempre quería saber.

—No —aseguró la abuela—. Como a media hora de aquí. Pero hay que abrigarse bien, ¿eh? Allá arriba, por el rumbo de las Lagunas de Zempoala, hace frío.

—¿Más frío que aquí, abue?

—¡Pero, neeena! —dijo la abuela, muy expresiva—. ¡Si aquí no hace nada de frío!

—Hoy hace un poco, abue —insistió Ramona.

—Bueno... hoy está más fresco porque llueve —aclaró la abuela—. ¡Pero a esto no se le puede llamar frío!

La abuela tenía razón. Era una hermosa tarde de lluvia en el trópico montañoso. En esas sierras de altura moderada donde llueve todo el verano y casi nunca hace ni demasiado frío ni demasiado calor: únicamente la exacta temperatura media de la primavera.

Gris con guiños de luz

Estoy en un gran archipiélago entre el Océano Índico y el Pacífico, cerca de donde cruzaba la antigua ruta de las especias. Dicen que es verano en el Hemisferio Sur y que es invierno en el Hemisferio Norte. Sólo que yo vivo muy cerca de la línea ecuatorial, y en esta zona las estaciones pierden importancia.

Además, hay fechas raras como la de hoy: 31 de diciembre. Los turistas occidentales la festejan con gran alboroto. Yo no entiendo mucho de fechas, pero ellos aseguran que éste es el último día del año; tanto en el sur, como en el norte.

Soy un cangrejito ceniciento. Estoy feliz de ser pequeño y medio grisáceo porque casi nadie nota mi presencia. Es mejor pasar inadvertido. Hay demasiados peligros entre la jungla y el mar: lagartos, grullas, macacos y toda clase de cazadores expertos en cangrejos inofensivos como yo.

También me persiguen otros especialistas, a quienes por suerte no les gusta cazar. Ellos son los científicos. Me deslumbran en su lucha por fotografiar mi sombrero de barro. No entiendo por qué les llama tanto la atención, si sólo es un simple sombrero-puerta del tamaño de una galleta pequeña.

Cuando la marea se aleja, salgo de mi casa-hoyo con el sombrero puesto. Hago un poco de ejercicio mientras busco el alimento que ha dejado el mar. Después me pongo a jugar, y de paso me fijo si anda alguna cangrejita graciosa por ahí.

En cuanto la marea se aproxima, entro en mi casa-hoyo. No necesito cerrar la puerta porque mi sombrero se encarga de sellar la entrada. Así, mi vivienda siempre se conserva limpia y cómoda, gracias a que tengo un sombrero-puerta-tapaluz-tapahoyo, ¡uf!, del tamaño de una galleta pequeña.

Esta madrugada, allá a lo lejos, en medio del mar, vi el resplandor de un barco anclado. Luego, varios científicos llegaron en lancha hasta mi orilla pantanosa. Venían cargando sus cámaras y sus reflectores. Yo andaba lejos de mi casa-hoyo, y no pude escapar de sus tomas deslumbrantes. ¡Demasiadas fotografías para un modesto cangrejito como yo!

Bueno, al menos me divertí un rato viéndolos zapatear. Después supe que no estaban bailando; sino que intentaban librarse de las sanguijuelas. Estos artistas del ojo-vidrio discutían todo el tiempo: que si "no hay contraste", que si "la luz acá" y "el flash allá", que "así no se puede, falta iluminación".

Yo sé cuál es el problema, ¿por qué no me preguntan a mí? Siempre ocurre lo mismo: ¡no le dan importancia a las opiniones de un simple cangrejito! No falta luminosidad. ¡¡Cómo podría faltar?? ¡Si aquí estamos junto al mar, alumbrados por un sol tropical y esplendoroso! Lo que ocurre es muy simple: yo soy ceniciento, la playa lodosa donde habito es grisácea, y mi sombrero es ceniciento-lodoso-grisáceo. ¡Pobres fotógrafos con tanto gris!

Además, tratan de fotografiar a mis chapoteadores vecinos, esos escandalosos peces "saltarines del fango" que, ¡por supuesto!, también son color barro grisáceo. Pero al menos los saltarines del fango tienen ojos brillantes y redondos como bolitas de vidrio. Cuando les pega el reflejo, lucen igual que piedras preciosas.

Todo llama la atención de los científicos porque aquí se vive en medio de una naturaleza desbordante: hay ranas paracaidistas, lagartos planeadores y también enormes insectos que imitan hojas, flores y corteza de árboles. Aunque la más fotografiada de estos pantanos es la princesa de las mariposas, la enorme "ala de pájaro". Ella vive sobre la alfombra de musgo colgante que cubre las copas de los árboles.

Yo nunca me he subido al "segundo piso" de la jungla. Me da miedo su altura. El musgo se asienta sobre matorrales de bambú, palmeras y helechos gigantes, sobre orquídeas y enredaderas que trepan por cualquier rama. En ese otro mundo de luz y calor viven las mariposas, y descansan las gotas de rocío que irradian brillo cristalino cuando las toca el sol.

Como soy precavido, prefiero mantenerme cerca de mi casa-hoyo o resguardarme en un buen escondite. Aquí en la costa, entre la jungla y el mar, crece gran variedad de mangles. Todos con sus raíces firmes para sostenerse en el barro, fuertes para soportar la violencia del monzón y la avalancha de lodo que arrastran los ríos.

El manglar que más me gusta es el "api-api". Las hojas de sus árboles son grises como yo, pero no son mis favoritos por eso; sino por la gran sorpresa que dan a esta hora del anochecer, cuando el mar se vuelve totalmente gris, y los sonidos de la selva se transforman.

En este momento comienzan a encenderse millones de luciérnagas posadas sobre las hojas grises de los "api-api". La jungla se viste con traje de luces. Chispean espejuelos mágicos con guiños de luz que coronan el manglar. Y mi corazón de cangrejito romántico hace ¡tun-ta! ¡tun-ta!

El cielo se ha dividido en dos: aquí, sobre la playa, está claro y despejado; y sobre el mar, detrás del barco, el cielo está cubierto de espesas nubes grises que presagian tormenta.

Llevo horas disfrutando el hermoso espectáculo esférico junto a mi casa-hoyo. Desde la isla llegan las luces centellantes de las luciérnagas; en el mar se refleja esplendoroso el brillo de la espuma; y en el cielo titilan incansables las estrellas.

Enfrente, la luminosidad del barco anclado serpentea en la superficie gris del agua. Mientras a lo lejos, unos fulgurantes relámpagos anuncian la primera tormenta de enero.

En los últimos minutos del año me rodea la luminosidad total del universo: el resplandor del cielo, del mar y de la jungla. ¡Y además, en este instante, el barco anclado desprende chispas saltarinas!

¡La embarcación lanza fosforescencias! ¡Arroja centellas, luces de Bengala! ¡Irradia luceros, estrellas fugaces! ¡Surgen cometas sin rumbo, astros en desbandada! ¡Todos quieren trepar al cielo para recibir con rutilante regocijo el año nuevo! ¡Todos esparcen sus guiños de luz! ¡Y llegan como un luminoso regalo de amor a este cangrejito ceniciento!

Mensajes del alma

—— ¡Abue! ¡Anoche tuve un sueño loquísimo! —dijo Ramona aquel miércoles por la tarde, entrando al jardín donde se entretenía su abuelita.

—¿Y el saludo, Ramonina? —reclamó la abuela.

—¡Ah, sí! —dijo la nieta mientras la besaba—. ¡Fue un sueño muy raro, abue!

—Algunos sueños son absurdos, Ramonina. Muchas veces tenemos sueños así, pero lo mismo es bueno escribirlos.

—¡No! Este no fue absurdo... sólo fue... extraño —aclaró Ramona—. Yo era un cangrejito ceniciento rodeado de gris...

—¡Ah! Tuviste un sueño gris —dijo la abuela.

—¡No! ¡Eso es lo extraño! ¡No fue un sueño gris! —continuó Ramona—. Al contrario: ¡La tierra, el mar, el cielo y el aire se llenaron de brillo!, ¡todo se iluminó! ¡La luz salía de abajo, de arriba, del centro, de todas partes!

—Quizás, tuviste un sueño simbólico.

Ramona miró a su abuela, abriendo muy bien los ojos y algo la boca. Así se mantuvo, callada, hasta que la abuela terminó de podar un rosal y continuó:

—Dicen que "los sueños son mensajes del alma". Nada más que muchas personas no abren "su correspondencia". Tal vez las luces son un símbolo, y están tratando de decirte algo.

—¿Qué tratan de decirme, abue?

—Creo que nadie puede aclararte eso. Supongo que es trabajo de cada quien descifrar sus mensajes.

—Pero es que yo no entiendo qué quiere decirme el sueño con tantas luces —dijo la nieta, poniendo su cara de capricho.

—Depende de lo que signifiquen esas luces para cada uno. Hay que pensar un poquito... ¿Qué es igual a muchas luces? ¿Qué te recuerda? ¿Tal vez... la Navidad?

—Creo que no —contestó Ramona pensativa, como siempre que trataba de resolver los problemas imaginarios que le planteaba su abuela.

—¿El circo? ¿Las velitas de un pastel? —siguió preguntando la abuela.

—Tampoco —dijo Ramona, más pensativa aún.

—No hay apuro —sostuvo la abuela—. Algún día lo sabrás.

—¡No, abue, algún día no! ¡En este momento lo sé!

—¡Cómo!, ¿tan rápido? —preguntó la abuela, algo sorprendida.

—¡Sí! ¡Ya lo entiendo! Escucha, abue: la luz es para ver. ¡Así que luz es igual a ver!

—¡Mjh! Y ver es igual a conocer —completó la abuela, pensativa—. Tal vez tu sueño quiere decirte algo sobre el conocimiento.

—Me asusta —dijo la nieta.

—¿Por qué? ¡Cómo si no supieras dónde se encuentra el conocimiento…!

—¡Ay, abue! ¡Eso cualquiera lo sabe!

Y como era una bella tarde de sol, llena de luz, la abuela continuó podando sus rosales, sus gardenias y sus margaritas; a la vez que formaba bellos ramos de flores. La nieta tomó una canasta y comenzó a cosechar higos, limones, naranjas, mandarinas, caram...

—Abuelita, ¡este árbol es precioso!, y también extraño.

—¿Cuál?

—El carambolo, abue.

—¡Ah, sí! Es una rareza que nos regaló un amigo —contestó la abuela—. Es un frutal originario de Indochina.

—Indochina... Indochina... Indochin... —repetía la nieta, algo perdida.

—Crece en todo el sudeste asiático —dijo la abuela—. También en ese enjambre de islas húmedas y calurosas del sur, donde la vegetación es muy rica.

—Pero si es un árbol de tan lejos, ¿por qué puede vivir aquí? —quiso saber Ramona, quien siempre quería saber.

—Porque en el trópico latinoamericano tenemos un clima parecido —explicó la abuela.

—¡Ay, abue! Si aquí no hay monzón.

—Pero hay huracanes —dijo la abuela—. Y llueve la mitad del año, como en muchos lugares de Asia tropical. Por eso el carambolo se adapta bien en nuestro jardín.

—Y porque tú y el abuelo lo cuidan con mucho amor —observó Ramona, poniendo su cara de pícara.

—Es una de las tantas bendiciones que tenemos, Ramonina. Este árbol nos da cada año una abundante cosecha. Nos llena los ojos de luz con sus frutos cubiertos de sol y su interior repleto de estrellas.

Y la abuela continuó arreglando el jardín: cambiando de maceta las plantas que crecían demasiado rápido, y abonando las que se tardaban en florecer más de lo debido. Muy cerca, Ramona llenaba la canasta con ricas frutas; a la vez que preguntaba esto y lo otro, porque siempre quería saber.

Rojo

Yo sé que todos los niños del mundo identifican esta tierra con el koala, el canguro y los periquitos. Y sé que los científicos la ven como el hogar de los monotremas: tanto del equidna como del ornitorrinco. También entiendo que yo no soy tan importante ni grandioso como para llamar la atención y que, además, mis quince centímetros de largo son pocos para tener derecho a opinar. Todo lo entiendo, ¡menos el nombre que me han puesto sin consultarme! ¡Grrr!

¡Qué ocurrencia!: Moloch horridus. Reconozco que no soy muy guapo, pero eso de horridus ¡suena horrendo! ¡No hay derecho a ser tratado de esa manera! A otros animales al menos los salva el nombre popular. ¡Yo ni siquiera tuve esa suerte!:

"diablo espinoso". ¡Vaya falta de respeto!, ¡decirme diablo a mí que soy de lo más inofensivo! Aunque lo de espinoso... bueno, debo aceptar que en eso tienen razón... ¡Pero qué caray! ¡De alguna manera hay que defenderse en este rojo desierto de guijarros! ¡Grrr!

Algunos seres pueden sobrevivir por su agresividad. Otros, generalmente los más pacíficos y de baja estatura, como los cardos y como yo, logramos protegernos con nuestras espinas. Aunque en el desierto rojo, la mayor de todas las ventajas es: ser rojo. Aquí, desde los canguros hasta los insectos son rojos o tienen algo de rojo. Y hay quienes cuentan con más de una ventaja; como el escorpión del desierto que, además de ser agresivo, es rojo.

Yo no soy agresivo, sólo un poco refunfuñón. Pero gran parte de mi piel está combinada con rojo terracota, y tengo firmes espinas para defenderme de mis atacantes. ¡Parezco un dragón feroz y sanguinario! ¡Grrr! Mi fotografía asusta a cualquiera; especialmente si se trata de una amplia, amplísima ampliación.

En realidad, soy un pequeño lagartito que trata de confundirse entre las piedras rojas. Debo cuidarme de algunos marsupiales, también de águilas, zorros y dingos. No me fío de nadie, ¡porque hasta los topos se sienten tigres cazadores apenas ven un lagarto chiquito como yo!

Cuando no tengo escapatoria, me enrollo con la cabeza escondida entre las patas, y dejo fuera mis espinas y mi casco-escudo en forma de nuez. Si quieren hacerme daño, ¡primero deben enfrentarse con mis valientes espinas siempre dispuestas a defenderme! ¡Grrr!

Por ahora, sólo ando cerca de mi casa. Nunca he salido de mi territorio: el desierto rojo de guijarros, aunque muy pronto voy a viajar. Quiero desplazarme rápido como los canguros, y conocer tanto como las aves. Mi meta es llegar hasta la Ayers Rock, esa inmensa roca encarnada en la llanura.

Me han dicho que la piedra más grande del planeta luce bella a cualquier hora, sólo que en el atardecer se ve más esplendorosa aún. Cuentan que cuando la sombra ha caído sobre los pastos, y el sol únicamente ilumina la Ayers Rock, se enciende su color rojo fuego. Y entonces, quienes la ven pueden fácilmente imaginar que están de visita en el planeta Marte.

Hoy disfruto de este rojizo otoño donde no hay ni media hojita caída en el suelo, porque aquí no hay árboles. Sólo allá a lo lejos, muy a lo lejos, veo un eucalipto fantasma; tendré que visitarlo alguno de estos días. Debe ser interesante tomar la siesta bajo la sombra fresca de un árbol, aunque sólo se trate de un raquítico eucalipto del desierto.

Está por comenzar abril, y yo me divierto pisando ¡crash!, ¡crash!, sobre las crujientes piedras rojas. Imagino que soy ¡un gran dragón! ¡Grrr! Y que los ¡crash!, ¡crash! son escarpados riscos que se desmoronan a mi paso convirtiéndose en polvo por la fuerza de mis pisadas. ¡Grrr!

Ya sé que siempre estoy refunfuñando, pero la verdad es que me siento orgulloso de los "gibber". Así se llaman en lengua aborigen los guijarros de esta zona. Se formaron hace millones de años, en la época "del sueño largo", como le dicen los nativos al tiempo de la creación. La mayoría de estos guijarros son rojizos. El viento los ha pulido y, cuando el sol los relumbra, brillan como joyas del desierto.

Me gusta imaginar, y también reflexionar. Quizás tengo vocación de lagarto filósofo. Más que nada, pienso en ese horrible nombre que me han puesto los científicos, y siempre llego a la misma conclusión: estos sabios se contradicen. Ellos aseguran que me mimetizo con las piedras, que en el paisaje me confundo con ellas. Pero entonces, si yo me parezco a las piedras, y las piedras son tan hermosas, ¡yo no puedo ser tan feo! ¡No como para llamarme Moloch horridus!, ¡y menos aún ese indignante apodo de diablo espinoso! ¡Grrr!

Por eso cuando sea grande voy a viajar para conocer otros lugares y aprender mucho. También quiero estudiar y convertirme en científico. Si logro mi meta, iniciaré una cuidadosa revisión que abarque los nombres de cada habitante de este desierto rojo.

No cometeré el error de mis colegas que se han dejado llevar por las apariencias. ¡Grrr! Analizaré a fondo los sentimientos de cada animalito. Consultaré la opinión de todos, y votaremos con el fin de repartirnos hermosos nombres. Tengo la esperanza de que me toque uno adecuado.

Todavía no domino el latín, aunque mi oído es bastante hábil para distinguir los sonidos. Me gustaría estrenar un nombre más o menos parecido a: Moloch splendidus, Moloch elegantius o Moloch preciosus. Y el apodo popular podría ser algo así como: "sensible matizado", "amable jaspeado" o "inteligente rojizo". ¡Grrr!

De visita

Aquel jueves, cuando Ramona regresó de clases, le esperaba una sorpresa. Al llegar a la casa; su mamá le dijo:

—Hijita. Hoy comemos con mi hermana de Tezontepec. Cámbiate, y prepara traje de baño y toalla. No te demores.

Ramona sintió que le festejaban su cumpleaños por adelantado. Le encantaba la idea de ir a jugar con su prima. En esa casa, había un ojo de agua apenas más grande que una fuente. Y las niñas se divertían ¡en grande!, chapoteando en el agua de la diminuta piscina.

Cuando Ramona se entusiasmaba con un paseo, era rapidísima para estar lista. En tres minutos se había puesto ropa cómoda, y estaba de regreso con toalla y traje de baño al hombro, y con una diminuta bolsita donde llevaba su cepillo de dientes y algunas otras cosas muy personales.

—¡Hija! —dijo la mamá, con tono de reproche—. Podrías haber empacado todo en una bolsa grande.

—No quiero demorar, mami —contestó Ramona—, tengo mucha hambre.

La señora sonrió. Sabía, sin ninguna duda, cuál era la prisa de Ramona. Así que rápidamente se subieron al auto, y tomaron hacia el rumbo de Tezontepec.

Mientras la señora conducía, Ramona iba observando el paisaje florido en las afueras de Cuernavaca. También cruzaban por varias fábricas de cerámica donde exhibían hermosos jarrones pintados a mano. Después, comenzó el terreno agreste que anticipaba el poblado de Tezontepec. Entonces, Ramona dijo:

—Mami, ya sé lo que quiere decir "Tezontepec", me lo dijo mi tío gordo.

—¡Hijita! Ya te he dicho que no le digas así a tu tío, él tiene nombre como todos nosotros —corrigió la mamá, siempre atenta al volante y al camino—. Además, es un gran investigador de idiomas, especialmente del náhuatl.

—¡Ay, mami! A él le gusta que lo llame "tío gordo" —se defendió Ramona, poniendo cara de capricho a la vez que sacaba un papelito de su pequeña bolsa—. Tezontepec: "En el cerro del tezontle". Nada más que no sé lo que quiere decir tezontle —se quejó Ramona, algo desilusionada.

—¡Ay, mi amor! —dijo la mamá—. ¡Pero si tú conoces el tezontle! Son esas piedrecillas rojas, muy porosas, las que agrego al fondo de las macetas para conservar la humedad y facilitar el drenaje.

—¡Ah!, ¿son ésas? —recordó Ramona—. Así que nosotros también tenemos guijarros rojos...

—Me parece que los guijarros son piedras más lisas; también les llaman cantos rodados —aclaró la señora—. En cambio, el tezontle es áspero, tal como sale de la mina.

—¡Pero es rojo! —exclamó Ramona.

—¡Ah! Eso sí —sostuvo su mamá.

—¡Mjh!... Y... por casualidad... —dijo Ramona, muy vacilante— ¿no tenemos también... dragones?

—¡¡DRAGONES??? —preguntó la señora, tan sorprendida que por un momento quitó la vista del camino—. Bueno... creo que los dragones, en realidad, son lagartos. ¿No?

—Me parece que sí —contestó Ramona.

—Pues, en esta zona hay lagartos —dijo la mamá—. Sobre todo, iguanas muy vistosas... y también tenemos... ¡lagartijas!

Ambas se soltaron a reír. Y la risa las acompañó hasta un poco más adelante. Ya cerca de Tezontepec, la señora comenzó con sus recomendaciones de siempre:

—Ya sabes, hijita: saluda, antes que nada. Trata de comer todo lo que te sirvan. Luego ayuda a levantar la mesa. No insistas en entrar al agua tan rápido. Y más que nada, al jugar...

—"No grites ni hagas escándalo" —completó Ramona la quinta recomendación que, como las cuatro anteriores, sabía de memoria.

—Bueno —dijo la mamá, un poco ofendida y otro poco con risa—, si ya conoces de memoria cómo debes comportarte, ¡supongo que lo harás muy bien!

Y es que cuando las primas se juntaban, para ellas lo más importante del mundo era jugar y divertirse. Y claro, resultaba difícil no saltarse alguna que otra "regla del buen comportamiento".

Aquella tarde, Ramona trató de portarse muy bien. Ayudó a servir la mesa, y comió casi todo. Fue fácil, porque la comida estuvo rica. Y más rica aún era el agua del estanque salpicándole la cara.

Las niñas se zambullían con brincos y chapoteos. Entraban, salían, salpicaban y se arrojaban agua una a la otra. Su risa era tan copiosa como la risa de cinco niños juntos, y tan estridente que aturdía a las señoras, que trataban de conversar.

De pronto, la prima tomó la manguera para arrojarle a Ramona un chorro de agua fría ¡en la espalda! Ramona, después de un grito espectacular, comenzó a perseguir a su prima. Y la prima ya no pudo sostener la manguera. El arma pasó a manos de Ramona; y la indefensa prima ya no tuvo escape. Chillaba como los gatos al sentir el chorro de agua fría.

—¡Ya, niñas! —decía una mamá.

—¡No hagan tanto escándalo! —pedía la otra.

Y las primas gritaban y reían de contentas: por el día bonito, por el agua traviesa, por estar juntas, por ser felices, por el próximo cumpleaños, por las próximas vacaciones, y hasta por tener unas mamás regañonas.

¡Todo era diversión! Se regocijaban con el juego, con su propio bullicio, con su propia algarabía. Disfrutaban al retozar saltarinas como ranas, mojadas como sapos, alegres como patos, escurridizas como peces...

Azul

Vivo en un astro marítimo, en el planeta acuático de atmósfera húmeda y azul. Desde el espacio, esta esfera celeste parece una gran piedra aguamarina, una inmensa joya celestial. Mi mundo está cubierto en gran parte por agua; pero como también es el mundo de las rarezas, en vez de llamarse Agua, este planeta se llama Tierra.

Dicen que todos los seres terrestres tuvieron su origen en el mar. Muchos lo olvidaron, pero cada vez que tienen vacaciones tratan de regresar al mar. Yo nací aquí, y aquí me quedo. ¡Por eso me siento eternamente en vacaciones!

Soy un pececito azul, travieso y revoltoso. Estoy feliz de ser pequeño porque me muevo con la agilidad y rapidez de una centella, cualidad muy importante en este arrecife de corales. Gracias a mi tamaño puedo refugiarme entre las grietas y laberintos del arrecife, y a la vez disfrutar el fantástico paisaje de estos jardines submarinos.

Mi mar es un enorme acuario lleno de seres increíbles con diversas formas y extraña belleza. Es cristalino, siempre cálido y luminoso, aunque estemos en invierno como ahora. Es el mar Caribe: azul, azulado, azulino, ¡azulísimo!

Soy un pececito picarón. Me gusta jugar con los turistas que vienen a bucear por aquí. Ellos también pretenden ser azules: usan visores azules, o se visten con escafandras azules. Yo creo que me quieren imitar. Les encanta mi color azul intenso y el montón de lunares azul fosforescente con que me adornó mi mamá.

En cuanto veo a los buceadores, planeo mi estrategia. Salgo de mi escondite para quedar a la vista. Ellos me localizan, ¡y entonces comienza el juego de las escondidillas! Yo me oculto entre las fuentes, plazas y callejones de mi ciudad de coral. Salgo, regreso, me asomo, me escondo. Y ellos ponen unas caras tan graciosas que parecen decir: "Ven, pececito hermoso, no te haré daño, sólo quiero mirarte de cerca".

Yo sé que tienen buenas intenciones. Me basta observar su respeto por los corales para saber cuánto aman la naturaleza. Aunque también me divierte hacerles travesuras. ¡Son tan grandotes y tan toscos para nadar...! ¡Y lo más cómico de todo, es que echan burbujas de aire como pequeños pececitos enamorados!

Este lugar está lleno de seres extravagantes. ¡Hay cada bicho raro! Desde pesadas tortugas marinas que se esconden y ligeras medusas que se desplazan en libertad, hasta obedientes esponjas que permanecen siempre en su sitio.

En los mares tropicales hay montones de inquilinos: el pez payaso, el pez trompeta, el pez papagayo, el pez loro, el pez mariposa, y ese azul pececito limpiador con vocación de cepillo de dientes. También abundan los huevecillos, larvas, algas marinas y diminutas especies que forman el plancton; ese riquísimo prado flotante que nos alimenta.

No lo voy a negar. Aquí estamos rodeados de seres extraños, ¡sólo que ninguno es tan extraño como ese ser llamado humano!

Entiendo que él pertenece a este planeta azul, como nosotros; y que tuvo su origen en el mar, como todos. Aunque basta verlo bucear para saber que ya es completamente ajeno a la profundidad acuática. Viene de vacaciones, trata de asolearse y de azularse, pero se nota que hace mucho tiempo dejó de pertenecer a este mar azul, azulado, azulino, ¡azulísimo!

El cumpleaños

Aquel viernes por la tarde todos se reunieron en el jardín de Ramona. El abuelo llegó con su sonrisa y un pastel de chocolate; y la abuela, con una gelatina transparente que dejaba ver estrellas amarillas. El tío vino con una caja de galletas; y la tía, con un pequeño paquete envuelto en papel rosa. Aunque el regalo que más le gustó a Ramona fue el que trajo su prima: un hermoso libro de cuentos con ilustraciones a todo color.

Allí estaba el papá con mandil rojo, preparando algo sobre el asador del patio. La mamá andaba apuradísima, entrando y saliendo de la cocina con su fresco vestido blanco. Ramona era la encargada de abrir el portón, mientras su primo colgaba de los árboles y de las ventanas los últimos globos: azules, verdes, morados. Después llegaron dos compañeras de la escuela con blusas floreadas, y tres niños del vecindario con camisas de rayas y cuadros. Jugaron, cantaron y rompieron una piñata adornada con muchos papelitos de colores, que luego quedaron desparramados sobre el pasto.

Ramona estaba feliz por el festejo triple: era su cumpleaños, estrenaba un vestido color agua que combinaba perfecto con su melena y sus ojos color tierra, y aquel había sido el último día de clases. Comenzaban las vacaciones tan esperadas, ¡y comenzaban muy bien!, ¡nada menos que con una fiesta en el jardín!

El primo se disfrazó de payaso y pasó todo el tiempo haciendo payasadas. El perrito del vecino hizo un montón de travesuras. Y los truenos amenazaron con su anuncio de lluvia temprana. Un niño dejó la huella de su dedo en el pastel, mientras otro derramó el refresco púrpura sobre el mantel blanco. Pero nadie se quiso enojar, porque según decía el abuelo: "Nadie debe enojarse en los cumpleaños". Además, cada alboroto le daba un nuevo colorido a la fiesta de Ramona.

Llegó el esperado momento de partir el pastel de chocolate, y Ramona apagó las velitas color lila. Sus padres le dieron un beso en cada cachete, y sus abuelos un abrazo tan amoroso que casi la ahogan. Después de comer el pastel, Ramona continuó jugando en el jardín con sus amigos hasta que comenzaron a caer las primeras gotas gordas. Entonces, sus vecinos y sus compañeritas de escuela se fueron.

La familia comenzó a entrar lo que podía estropearse con la lluvia. Lo hacían muy rápido. El tío, que venía cargando una silla beige, tropezó con el abuelo, que llevaba la jarra color vino. Alguien que traía el resto del pastel de chocolate, casi lo estampa sobre el vestido color agua de quien salía corriendo por la puerta. Y ese embrollo los hizo reír, y también fue parte del festejo.

Cuando terminaron de recoger todo, y ya estaban tranquilos dentro de la casa, el primo sacó de su escondite un misterioso paquete envuelto en papel de china color violeta. Llamó a Ramona para entregárselo aparte. Ella estaba sorprendida porque su primo nunca le regalaba nada. En cuanto abrió la envoltura, Ramona dijo:

—¡MI ALMOHADITA! ¡Es mi almohadita vieja!

El primo se mantenía en silencio. Entonces, Ramona le preguntó emocionada:

—¿Cómo la conseguiste? ¿Dónde la encontraste?

—Fue cuando arreglaron tu cuarto —dijo el primo—. Ayudé a llevar una caja con ropa y juguetes para regalar; también una canasta para la lavandería y una bolsa grande para la basura.

—¿Y dónde pusieron mi almohadita? —preguntó Ramona.

—Eso fue lo extraño. Tu mamá nunca decidía dónde poner esta almohada. Estuvo en la caja para regalar, en la canasta para la lavandería y hasta en la bolsa para la basura. La apartó varias veces, y al final se quedó afuera de los tres lugares.

—¿Pero cómo es que la tienes tú? —quiso saber Ramona, quien siempre quería saber.

—La conservé porque se me ocurrió que podía servirle al gatito de la abuela —dijo el primo—. Pero luego... cuando te vi tan triste... decidí guardártela.

—¿Y por qué no me la diste ese día...?

—Tuve miedo de que tus papás se enojaran conmigo si te entregaba la almohada ese día, ¡después del berrinche que te mandaste! —aclaró el primo—. Pero ya pasó una semana y, como hoy es tu cumpleaños, creo que nadie se va a enojar.

—¡Porque nadie debe enojarse en los cumpleaños! —recitaron ambos a coro, imitando la voz y los gestos del abuelo, sin aguantar del todo la risa.

Ramona estaba feliz por el tierno regalo de su primo. Le parecía increíble que él, siempre tan pesado con ella, se preocupara por su felicidad. Además, era una alegría volver a tocar su vieja almohadita. Mientras Ramona continuaba acariciándola dijo:

—Es un bonito regalo. Pero hay que renovarla. Primero irá al lavadero. Después, con ayuda de mi mamá voy a coserle una fundita nueva. Tengo un retacito de tela con dibujos de colores...

—¿La volverás a usar? —preguntó el primo.

—No, ya soy grande para dormir con esta almohadita.

—¿Entonces?... ¡Ah! ¡La quieres para tus muñecas! —dijo el primo, tratando de adivinar.

—Tampoco —negó Ramona—. Es mejor lo que tú dijiste. Se la llevaremos al gatito de la abuela. Él la necesita más que mis muñecas.

—¡Ja! ¡Qué gato tan elegante! —exclamó el primo—. ¿Y vas a renovar la almohada para que la estrene el gato?

—¡¡Por qué no?? —dijo Ramona—. ¡Él también tiene derecho a renovar sus sueños!

La risa de los primos resonó en toda la casa. Regresaron felices a donde estaba la familia reunida. El papá, con su mandil rojo, servía café porque la tarde había refrescado. La mamá, con su vestido blanco, trataba de encontrar lugar para colocar unos platitos en aquel desorden. Aún quedaba un poco de rica gelatina transparente que dejaba ver estrellas amarillas y un gran trozo de rico pastel de chocolate.

Había dejado de llover y en el cielo se formó un hermoso arco iris. Todavía volaban por ahí algunas serpentinas y muchos papelitos de colores; también flotaban globos azules, verdes y morados. Ramona guardó en su cuarto, sin enseñar a nadie, el pequeño paquete envuelto en papel rosa. Y trajo para mostrar a todos el hermoso libro de cuentos con ilustraciones a todo color. Quería compartir con su familia la magia de aquel precioso regalo que iba a disfrutar en sus vacaciones escolares.

Tal vez las historias del nuevo libro ayudarían al ángel de los sueños a crear otras historias. Y quizás ese misterioso habitante de las almohadas esperaba impaciente que Ramona leyera el libro y se lo contara; así podría llenar todas sus noches con muchos, muchísimos sueños más.

Fiesta de colores

¡Soy un torbellino de colores y me muevo a gran velocidad! ¡Estoy al mismo tiempo aquí, allá y en todas partes!: en el azul del mar y del aire cristalino, en el castaño de la tierra húmeda, y en el amarillo, naranja y rojo de los desiertos.

Soy esa planta de follaje lustroso, y la mariposa con lunares fosforescentes que vuela a su alrededor. Soy aquel árbol de flores satinadas, y el pájaro tornasolado que anida en él. Soy la ráfaga de viento que hace danzar las hojas doradas del otoño, y la lluvia que siembra sobre la tierra sus gotas color de luna. Soy la luz del amanecer, el brillo del mediodía, las sombras de la tarde y la oscuridad de la noche. ¡Todo eso soy!

Me vuelvo blanca en la nieve, negra en el carbón o llameante en un volcán encendido. Sé volverme incolora y discreta si me quiero esconder, o llenarme de tintes fuertes y violentos si necesito llamar la atención. En mí se encuentran cada uno de los colores del mundo. Juego con ellos, los arrojo al viento, los atrapo y los derramo generosamente sobre la tierra para colorear mi gigantesca obra de arte:

¡SOY LA NATURALEZA!

Mi paleta de pintor es la más surtida que existe. De aquí brotan las pinceladas para adornar peces y ranas, para decorar frutas y flores. También de mi paleta surge el plumaje multicolor de todas las aves: desde un gran pavo real hasta un pequeño colibrí.

Logro cumplir con todo mi trabajo porque estoy en diferentes sitios al mismo tiempo, ¡y dos veces al año juego a la primavera en algún hemisferio! ¡Soy una gran andarina! En marzo, organizo la primavera en el norte del planeta; y en septiembre la llevo al sur. Y tanto en un hemisferio como en el otro, ¡doy la gran fiesta de colores para todas sus criaturas!

Yo sólo invito a la mitad de la población mundial cada vez. Pero siempre hay quienes se ingenian para estar en continuo festejo. Ellos son los habitantes cercanos a la panza del ecuador. Durante todo el año hay fiesta de colores entre un trópico y otro, tanto en el mar como en la tierra.

Tengo mucho trabajo, y siento orgullo por hacerlo bien. Pongo el mismo empeño y cuidado en pintar una pequeña mariquita que en llenar de colorido una gran puesta del sol, un enorme arco iris o una inmensa aurora polar.

Soy una diseñadora veloz para decidir el vestuario de polillas, libélulas y mariposas. Visto de luto a los cuervos, de novia a las garzas y de bailarina a los flamencos. Les pongo moño a las cacatúas, babero a los tucanes y collar a los cóndores. Engalano con frac a los pingüinos, con peineta a los pavos y con sombrero de plumas a todas las demás aves.

Me encanta decorar almejas, cangrejos y caracoles. Me divierto al dibujar rayas en la piel de las orugas, de los gusanos y de las culebras. ¡Y hago mil travesuras salpicando guijarros, peñascos y montañas enteras con un remolino de colores!

Bueno... también, de vez en cuando, me equivoco sin querer. Tiño de morado las plumas de alguna gallina, pinto de azul las manzanas de un huerto, o coloreo de rosa las ranas de un pantano. ¡Hago cada enredo...!

Me equivoco por distraída, y siempre me ocurre de noche cuando hay poca luz y tengo demasiado trabajo. Lo bueno es que soy rapidísima para corregir cualquier falta, porque a quien le toca uno de mis errores ¡arma tanto escándalo!, que es mejor tener preparado el borrador.

Sólo corrijo cuando me equivoco. Nunca presto atención a los caprichos absurdos; si no, me pasaría la mayor parte del tiempo borrando el color de los humanos. Son los seres más antojadizos y exigentes de la Tierra.

He trabajado mucho para darle a cada humano el tono que mejor le queda y el más adecuado a su clima. ¡Pero siempre están inconformes! El rubio quiere ser castaño; y el castaño, rubio. El moreno desea tener los ojos claros; y el pelirrojo los prefiere negros...

¡Uf! ¡Me volverían loca si les hiciera caso! ¡Por eso a veces me dan unas ganas de pintarlos a todos de verde loro! Seguramente así me dejarían de molestar. ¡Lástima que eso no lo decido yo!, porque si no...

Mejor olvido las ideas traviesas y sigo viajando para llenar el mundo de color. ¡Dicen que soy una estupenda artista! Tal vez es cierto, aunque mi

*trabajo es útil sólo porque hay seres que lo apre-
cian. Mi paleta de pintor está repleta de bellos colores para quienes saben ver con sus ojos, con su
inteligencia y con su corazón.*

*El colorido es revelador, caprichoso y extrava-
gante en la obra de los artistas. Es gracioso, emocio-
nante y fantástico en la imaginación de los niños. Y
es alegre, esplendoroso y mágico en los sueños de
todos.*

*Por eso siempre vuelo de aquí para allá, dando
pinceladas naranjas amarillentas al amanecer, ro-
sadas púrpuras por la tarde, y azules violáceas en
la noche. Y a la vez, soy ese torbellino primaveral
que organiza la gran fiesta de colores en algún lugar de este inquieto, precioso y colorido planeta
llamado Tierra.*

Trotamundos

Ramona continuó soñando con los sitios reales que veía en sus libros, y con los sitios mágicos que le regalaba el ángel a través de la almohada de los sueños. A veces soñaba dormida y a veces despierta. En algunas ocasiones era Ramona; y en otras, alguna de las tantas criaturas de la Tierra.

A ella no le ilusionaba desplazarse al pasado o al futuro, su tiempo era el presente. Sabía que lo actual resultaba tan fascinante, tan variado, tan colorido y tan inexplorado aún, que los años de su vida no le alcanzarían para recorrerlo todo. ¡Y ella quería recorrerlo todo! No se conformaba con ser sólo una turista pasiva, su deseo era experimentar cómo se vivía en cada lugar de la Tierra. ¡Ramona era una auténtica nómada por vocación!

Cuando veía alguna lámina a colores de la pradera africana en un fogoso amanecer naranja, de inmediato decidía tener un sueño de ese color. Entonces, salía al jardín a explorar las flores, metiendo su nariz donde podía. Imaginaba ser una anaranjada abeja africana, volando entre abundantes flores naranjas ricas de polen, a la vez que trataba de evitar los "chupabejas", esos fastidiosos pájaros de intenso color naranja.

Si volteaba la hoja del libro, y allí estaba la fotografía de un lago salado donde la luz del atardecer teñía los cristales del agua con reflejos rosas, ¡Ramona decidía tener un sueño de ese color! Se paraba en una pata y, como no lo hacía tan mal, fingía ser un lánguido flamenco rosa en un lago africano. Imaginaba que vivía junto a otros cientos de aves iguales, compitiendo por una roca donde anidar con el fin de multiplicar la población de flamencos, y continuar adornando el paisaje con un precioso color de rosa.

Y si la siguiente página del libro, por ejemplo, estaba dedicada a las flores, y entre ellas venían las violetas africanas con sus diversos tonos, pero esencialmente violetas: ¡por supuesto que Ramona deseaba con empeño tener esa noche un sueño absolutamente violeta!

Aunque el color era muy importante para Ramona, también había muchos otros detalles que le llamaban la atención. Si leía acerca de los animales que transitan por la llanura del Serengeti, podía tener un sueño geométrico: rayas en las cebras, círculos en los leopardos, trapezoides en las jirafas... Y ella era capaz de ser una vivaracha mariposa, decorada con triángulos, que revoloteaba alegre sobre la cabeza de todos los animales ¡y hasta viajaba gratis en el lomo de alguno!

Y es que a Ramona le sobraba imaginación. Además, aquello que no lograba soñar dormida, trataba de forjarlo despierta. En especial, durante el tránsito por esa invisible frontera entre la conciencia y el sueño, cuando ya no estaba totalmente despierta ni totalmente dormida. ¡Ella se empeñaba en dirigir su mente para escoger con qué soñar!

Aunque tenía por costumbre jugar con las imágenes, prefería sin duda los verdaderos sueños. En ellos no había límites de tiempo ni de espacio, la fantasía se desbordaba más allá de la natural inventiva de Ramona. En los sueños podía bucear o ser un pez, volar en globo o ser un pájaro, conducir un carruaje o ser una gacela. ¡Todo era posible!

¡Hasta Oriente era capaz de llegar Ramona en unos pocos minutos de sueño! De pronto, podía ser un gato siamés que vivía en un hermoso templo budista del antiguo reino de Siam. Retozaba entre las alfombras, y allí dormía la siesta arrullado por el sonido que producía la brisa al mover las numerosas hojitas de metal colgadas de los techos. Su única obligación era ronronear mientras se dejaba consentir por los serenos monjes que le curaban las heridas con que regresaba de sus andanzas nocturnas.

En sueños o en ensueños, Ramona lograba en ocasiones volverse una lagartija tomando sol en alguna isla volcánica polinesia, un delfín juguetón en el calmado Mar de Cortés o una iguana marina en las islas Galápagos. Otras veces podía transformarse en una andariega tortuga terrestre de la isla de Pascua; en un desconfiado kiwi empollando su par de huevos en la última isla austral; o en un elegante pingüino emperador en lo más profundo de la Antártida.

Por el tiempo de un sueño, logró juguetear a orillas del Báltico con enormes gaviotas blancas. Ellas formaban una nube saltarina al tratar de robar arenque ahumado de los puestos flotantes defendidos por señoras gordas. Y Ramona se reía, defendiendo su cabeza de las alas blancas que le pasaban rozando.

Sumergida en sueños, viajando sola a bordo de un tren, unos generosos viajeros le convidaron pan con jamón y queso manchego, acompañado de vino tinto; mientras el tren cruzaba La Mancha, dejando ver los molinos de viento que le recordaban a cierto hidalgo manchego.

Deslizándose por el espacio de un sueño, Ramona tomó un autobús rural en la Toscana y viajó lentamente hasta lo más alto del monte. Allí, pudo caminar por horas junto a mariposas inquietas que la rodeaban, y disfrutar en silencio aquel paisaje, verde tras verde, siempre repetido como en un cuento.

En el transcurso de un sueño, Ramona vagó a lo largo del río Danubio. Desde los lugares donde le dicen Donau, hasta donde le llaman Duna. Todo para descubrir que, sin importar cómo le digan, el romántico Danubio nunca es verdaderamente azul.

Durante la brevedad de los sueños, Ramona fue hasta la región oriental de la Manchuria, y de puro capricho se bañó en un río frío y cristalino con el fondo cubierto de guijarros grises. Después atravesó muchos caminos y, navegando por el río Volga, un marinero le cantó una bella canción.

Ramona era una gran trotamundos en sus viajes-sueños. Se desplazaba de un lugar a otro sin importar las distancias. A veces era un pato nadando en los tranquilos canales de Flandes, y otras veces era un cóndor sobrevolando el casi lunar desierto de Atacama. Podía ser un monito en la península malaya, una colorida rana saltando en un islote del río Amazonas o un tigre agazapado en las orillas pantanosas de la bahía de Bengala.

Sus viajes-sueños le recordaban lecturas y lugares que había olvidado. Aunque Ramona también tenía sueños absurdos que intentaba descifrar como acertijos. Además, con frecuencia le ocurría no poder recordar nada de lo soñado. Pero lo más importante de todo, es que a través de sus inquietudes fue descubriendo y valorando las maravillas que tenía a su alcance. Algunas de esas maravillas se encontraban allí, en el jardín de su casa o en el jardín de sus abuelitos; otras, en su ciudad o tan cerca como un paseo de domingo.

Ramona podía soñar con grandes cataratas, o con una solitaria caída de agua que en su trayecto hacia la tierra semejaba un fino velo de novia. Entonces, sus abuelos que la consentían tanto, la llevaban por un camino orillado de alfarería y rebosante de flores multicolores. Juntos visitaban el Salto de San Antón, admirando su rápida caída entre rocas similares a columnas esculpidas por un gigante.

Al hojear libros de geografía, Ramona soñaba despierta con viajar para conocer aquellos mágicos peñones, emergidos como fantasmas en la bruma gris de un lejano país oriental. Y al poco tiempo, cuando transitaba con sus padres camino al balneario termal de Atotonilco, Ramona descubría asombrada los peñascos de Jonacatepec. Estaban allí, como surgidos del campo llano, recortándose igual que fantasmas en las sombras del atardecer.

Ella siempre tenía alguna nueva ocurrencia. Soñaba con papiros egipcios, tratando de adivinar cómo se deslizaría el lápiz o la pluma sobre la superficie áspera del papel antiguo. También suspiraba por conocer algún desierto: "uno solito, ¡cualquiera!", pensaba, porque ella había leído que existen desiertos de varios tipos. Y no pasaba mucho tiempo para que Ramona cumpliera con ambos sueños.

Como preguntaba tanto y leía más, pronto averiguaba todo acerca del "amate", papel antiguo de corteza machacada, elaborado en lugares cercanos a su ciudad. Y así, leyendo y preguntando, también descubría la existencia de la sierra de Huautla. Esa tierra agreste que durante la época de estío, cuando no cae ni una gota de lluvia en muchos meses, se vuelve semidesértica, haciendo resaltar sus enormes cactus como brazos extendidos al cielo.

A través de los sueños o a través de los libros, Ramona era capaz de desplazarse hasta donde Europa se encuentra con Asia, recorriendo la meseta de Anatolia para llegar hasta la antigua Capadocia. Sólo por el gusto de ver la salida del sol en los conos y pirámides formados de lava blanda, y por trepar esas empinadas figuras rocosas conocidas como "Chimeneas de las Hadas".

Después, en cualquier paseo familiar a Tepoztlán, encontraba esas casitas en miniatura talladas en las espinas del pochote. Sus techos cónicos eran igualitos a las formaciones rocosas de las Chimeneas de las Hadas. Y lo mejor de todo, es que podía comprar alguna de esas miniaturas para tenerla junto a su cama.

Hasta cuando soñaba con animales extraños, aquellos que parecían distantes, increíbles, inalcanzables, ¡Ramona se ingeniaba para que su viaje-sueño se convirtiera en realidad! Sabía aprovechar muy bien el argumento de que era buena estudiante para que sus abuelitos no le negaran casi nada.

Algún domingo invitaban también al primo; y salían todos juntos en el auto del abuelo. Tomaban por la carretera hacia el municipio de Amacuzac, sin detenerse hasta llegar a Teacalco. Allí, pasaban horas alegres en el zoológico donde casi podían tocar las cebras, los elefantes, los hipopótamos… y tantos otros animales extraordinarios con los que seguramente, esa noche, Ramona volvería a soñar.

Y así pasaron las vacaciones escolares. Ramona ingresó al siguiente año sin dejar de escribir en su cuaderno aquellos sueños alegres que lograba recordar. Por las tardes compartía las lecturas del cuaderno con su abuela, y por las noches compartía las aventuras de sus libros con el ángel de los sueños. El ángel llenaba la almohada con nuevas historias, ¡y la almohada llenaba las noches de Ramona con fantásticos viajes-sueños que la colmaban de felicidad!

GLOSARIO

Abedul. Árbol de madera blanca, muy abundante en los países nórdicos de Europa. En los baños sauna finlandeses, las ramas de abedul son usadas para masajear el cuerpo con golpecitos de sus hojas en forma de rombos.

Abú Simbel. Templo egipcio dedicado al faraón Ramsés II y a su esposa Nefertary. Se ubica en África, en el desierto Nubio, junto a un remanso del Nilo azul.

Ala de pájaro. Es una de las mariposas más grandes y hermosas que existen, mide alrededor de veinte centímetros. Es originaria de las selvas de Borneo.

Alabastro. Piedra semipreciosa con que se elaboran jarrones y artesanías. En la ciudad de El Cairo, Egipto, se encuentra la mezquita de alabastro, cuyas paredes pueden ser traspasadas por la luz de una linterna.

Amacuzac. "En el río de los amates amarillos", en idioma náhuatl. Municipio del estado de Morelos, México.

Amate. Árbol mexicano de cuya corteza, machacada y combinada con bulbos de orquídeas, se obtiene una hoja gruesa. Actualmente, el amate se continúa elaborando con fines artesanales en las comunidades indígenas del estado de Morelos. Por lo regular, se colorea con acuarela. El resultado de esta técnica prehispánica es un colorido cuadro, sumamente apreciado por el turismo.

Amatlán. "Junto a los amates", en lengua náhuatl. Pueblo del estado de Morelos, México, donde se supone que nació Quetzalcóatl, rey del imperio tolteca.

Amazonas. Río que nace en las montañas de Perú y atraviesa Brasil. Es el río más caudaloso del continente americano.

Anatolia. Asia Menor. Meseta del centro de Turquía.

Antártida. Continente austral. Polo Sur. Antártico.

Atacama. Desierto del norte chileno. Es tan seco y desolado que se lo compara con el paisaje lunar.

Atotonilco. "En el agua caliente", en idioma náhuatl. Poblado del estado de Morelos, México. Cuenta con un concurrido balneario de aguas termales.

Aurora boreal. Meteoros. Luminosidades de diversos colores que se pueden observar en las regiones polares durante el cielo oscuro del invierno. La aurora boreal es mucho más conocida que la aurora austral porque el Polo Norte es más accesible para los viajeros.

Báltico. El Mar Báltico comunica con el Mar del Norte. Varios países tienen costas en el Báltico, pero su esplendor destaca entre Suecia y Finlandia, debido a su bellísimo archipiélago con miles de islas.

Bengala. Bahía del sur de la India con fauna muy rica, como los tigres de Bengala. Ciertos fuegos artificiales son llamados "luces de Bengala".

Boreal. Zona que comprende el Polo Norte. Ártico.

Capadocia. Región de Anatolia, Turquía, donde hay numerosas salientes naturales de lava blanda. Son como casitas en forma cónica. Basta con escarbar para abrir una entrada, y seguir escarbando hasta formar una habitación. Algunos de estos conos tienen abiertos varios "pisos". Fueron utilizados primero por monjes y luego por campesinos turcos.

Cardo. Se le llama así a cualquier planta silvestre muy espinosa.

Cuernavaca. "Junto a los árboles", en náhuatl. Capital del estado de Morelos, México. Es considerada "la ciudad de la eterna primavera", pues su temperatura media es de 22 grados centígrados, con muy poca variación a lo largo del año.

Chichén Itzá. Bellísimas e importantes pirámides de antigua ciudad maya; hoy son visitadas por millones de turistas de todo el mundo. Yucatán, México.

Danubio. Extenso río, es el segundo más largo de Europa. Pasa por Alemania, Austria, Hungría y Rumania.

Desierto rojo de guijarros. Gran zona árida en el centro de Australia.

Dingo. Perro salvaje australiano, parecido al lobo.

Dios de las Tinieblas. Ptah (dios de la oscuridad). Una de las muchas deidades de los antiguos egipcios.

El Tajín. Pirámides. Uno de los centros arqueológicos más bellos de México. Fue la capital de los antiguos totonacas al norte de Veracruz.

Equidna. Mamífero de Australia perteneciente a los monotremas. Es parecido al erizo.

Fiordo. Golfo estrecho y profundo. Cauce de antiguos glaciares. Hay muchos en Noruega.

Flandes. Región de Europa que abarca parte de Francia, Bélgica y Holanda.

Galápagos. Las islas Galápagos están ubicadas en el Océano Pacífico, frente a las costas de Ecuador. Son famosas por su variada fauna de especies únicas en la Tierra.

Glaciar. Gran acumulación de nieve convertida en hielo que suele *crecer* en el invierno. Algunas altas montañas poseen una zona de glaciar (hielo que nunca se derrite). Los mayores glaciares se encuentran en las extensas zonas polares, por lo general, en lagos o entradas de mar al continente. Se dice que los glaciares tienen *movimiento* porque en algunas zonas el hielo crece, y en otras decrece con el correr de los siglos.

Grulla. Ave grande de porte elegante, muy apreciada en Oriente.

Guijarro. Piedra redondeada por haber rodado, como las piedras de los ríos o de las zonas con mucho viento.

Hemisferio. La línea imaginaria del ecuador divide el planeta Tierra en dos: Hemisferio Norte y Hemisferio Sur.

Hornero. Pájaro representativo de la Pampa argentina que construye un complejo nido de dos ambientes; por fuera es como un pequeño horno de barro. El poeta Leopoldo Lugones escribió: "La casita del hornero / tiene sala y tiene alcoba / y aunque en ella no hay escoba / limpia está, con todo esmero".

Huitzilac. "En el río de los colibríes", en náhuatl. Municipio del estado de Morelos, México. Zona fresca y boscosa donde se elaboran muebles artesanales.

Jonacatepec. "En el cerro de las cebollas", en náhuatl. Municipio del estado de Morelos, México.

Karnak. Templo egipcio sobre las ruinas de la antigua Tebas, hoy ciudad de Luxor.

Kilimanjaro. Monte del este de África. Es la montaña más alta de ese continente. Se pronuncia "Kilimanyaro".

Kom Ombo. Templo de los antiguos egipcios en honor al Dios Cocodrilo. Está ubicado a orillas del Nilo verde.

La Mancha. Llanura extensa en el centro de España. Manchego: lo perteneciente a esta región (Don Quijote de la Mancha).

Lapones. Nativos de Laponia. Se dedican a la crianza de renos; muchos continúan siendo nómadas.

Laponia. Región al norte de Escandinavia. Comprende parte de Noruega, Suecia, Finlandia y Rusia. Zona muy fría la mayor parte del año. El invierno oficial es de diciembre a marzo.

Loto. Planta acuática de hoja redonda y hermosas flores, muy importante en la cultura oriental.

Luxor. Gran templo a orillas del río Nilo, Egipto, que le da el nombre a la actual ciudad de Luxor (antiguamente: Tebas).

Manchuria. Región agreste de Asia oriental. Este territorio ha sido disputado por Rusia, Japón y China. Actualmente, pertenece a China.

Manglar. Lugar con abundantes mangles. El mangle es un arbusto alto como un árbol. Se reconoce por sus brotes aéreos que llegan hasta el suelo para enraizar y así reproducirse. Es común en las regiones tropicales y muy húmedas. Suelen crecer a orillas de los ríos, lagunas y pantanos.

Mar Caribe. Mar de Centroamérica, situado al margen del Océano Atlántico. Es también llamado Mar de las Antillas.

Mar de Cortés. También llamado Golfo de California. Se ubica en el noroeste de México, entre el continente y la península de Baja California. Muy apreciado por su fauna marina.

Marsupiales. Didelfos. Son mamíferos que cuentan con una bolsita donde amamantan y guardan a sus crías mientras son bebés. El canguro es un marsupial.

Monotremas. Animales muy interesantes. Poseen la particularidad de ser mamíferos y, a la vez, tener algo de ave: pico, patas, etc. Se conocen dos especies: el ornitorrinco y el equidna, ambos originarios de Australia.

Monzón. Viento periódico, en algunas regiones acompañado de lluvia. Marca las temporadas en Asia tropical.

Nilo. Extenso río africano que nace en el lago Victoria. Atraviesa varios países como Nilo blanco, luego se convierte en Nilo azul. Finalmente, ya en Egipto por la zona de la gran presa de Asuán, se vuelve color verde. Es un tono verde aceitunado que ha dado origen al color llamado verde Nilo.

Nubio. Desierto que abarca el norte de Sudán y el sur de Egipto. Los nativos nubios usan turbantes para proteger su cabeza del intenso sol.

Ornitorrinco. Mamífero monotrema originario de Australia. Tiene un largo hocico, chato y redondeado, que más bien parece pico de pato.

Oro de tontos. En el estado de Colorado, EE. UU., se les llama así a los peñascos con finas partículas metálicas, incrustadas en la roca, que brillan esplendorosamente con el sol. Ahora se sabe que ese metal no tiene valor. No obstante, hubo una época en que los hombres luchaban a muerte por apropiarse de estos peñascos, creyendo que habían hallado un gran tesoro.

Pampa. Llanura húmeda de gran extensión cubierta de pastizales, y prácticamente desnuda de otros elementos. Hay pampas en muchos lugares del planeta, como la de Kansas en Estados Unidos; aunque la más nombrada, por su gran tamaño, es la Pampa argentina.

Pampa seca. Llanura de gran extensión cubierta de pastizales altos que soportan mejor los periodos de sequía. Una porción de la Pampa argentina es pampa seca.

Papiro. Planta de tallos altos que crece junto al agua. Los egipcios fabrican papel cortando los tallos a lo largo en finas cintas. Estas películas son puestas a remojar durante 24 horas para ablandarlas. Las cintas que resultan se tejen para formar hojas, y luego son prensadas hasta quedar transparentes de tan delgadas. Ya secas, se utilizan para dibujar y escribir jeroglíficos. Actualmente, se elaboran sólo con fines artísticos y artesanales.

Patagonia. Región de América del Sur. Lo más al sur de Sudamérica. Comprende parte de Chile y Argentina. Zona muy fría la mayor parte del año. El invierno oficial es de junio a septiembre.

Península malaya. Península del Sudeste asiático. Actualmente: Singapur, Malasia, parte de Tailandia y Myanmar (la antigua Birmania).

Piñata. Del italiano "pignatta". Olla de barro adornada con papeles de colores. La estructura de papel se originó en China. Posteriormente, en Italia, se le agregó la olla. Y España contribuyó al juego con sus "palos de ciego". Hubo épocas en que se la llenó de agua, de globos y hasta de palomas. Actualmente, la piñata sigue siendo muy popular en algunos países latinoamericanos, especialmente en México. Se llena de dulces y sorpresas para romperla con "palos de ciegos" durante las fiestas.

Plancton. Mezcla de diminutas algas, larvas, huevecillos y seres microscópicos que se encuentran suspendidos en el agua de ríos y mares. Hay peces que se alimentan únicamente de plancton.

Pochote. "Pochotl", en náhuatl. Árbol silvestre muy espinoso. Da un fruto parecido al algodón que se utiliza para rellenar almohadas. Sus grandes espinas son empleadas para tallar artesanías; son muy populares las graciosas casitas en miniatura con techos cónicos.

Policromía. Numerosos colores mezclados.

Polinesia. Islas del Océano Pacífico separadas por grandes extensiones marítimas. Desde Hawai, en el norte, hasta Nueva Zelandia, en el sur, incluyendo todas las islas intermedias que quedan en esa franja.

Popocatépetl. "Cerro que arroja humo", en náhuatl. Volcán con más de cinco mil metros de altura ubicado muy cerca de la ciudad de México. Colinda con los estados de México, Puebla y Morelos. Se encuentra en actividad moderada desde 1994. Los lugareños lo nombran "Popo", y en algunos poblados al pie del volcán, le dicen "don Goyo".

Reno. Mamífero rumiante parecido al siervo y al alce. Habita en las regiones boreales de Europa y de América. Los lapones y los esquimales lo emplean como animal de tiro.

Rocosas o Rocallosas. Montañas de Estados Unidos y Canadá. Pertenecen al sistema montañoso de América del Norte, que se extiende desde Alaska hasta México.

Saltarines del fango. Peces que pueden pasearse fuera del agua, ya que respiran una mezcla de aire y agua. Varias especies del Sudeste asiático tienen este sistema respiratorio, debido a que el agua de pantanos y ríos arrastra lodo y contiene poco oxígeno. Los peces Beta tienen esta característica, ya que también son originarios de esa zona.

Salto de San Antón. Caída de agua en la ciudad de Cuernavaca, Morelos, México. Se encuentra precedida por numerosos viveros y puestos de alfarería que exhiben sus flores y artesanías de barro en las orillas de la calle. El resultado es una singular policromía.

Sarcófago. Caja mortuoria donde los egipcios guardaban el cuerpo embalsamado.

Siam. "Reino del Oro". En el siglo XIX cambió su nombre a Thai (Pratet Thai, en tailandés), que significa: "reino de la libertad". Los ingleses lo nombraron Thailand; y más tarde se americanizó como Tailandia. En Oriente, es conocido como "El país de la sonrisa" y como "El país de las tres estaciones". Nunca fue conquistado por extranjeros. Continúa siendo un reinado. Sus increíbles templos y la simpatía de sus habitantes atraen a millones de turistas. La capital es Bangkok.

Sierra de Huautla. "Lugar abundante de bledo", en ná-huatl. Sierra del sur del estado de Morelos, México. Durante la temporada lluviosa, se presenta como una selva baja. En la época de sequía, entre diciembre y junio, se convierte en área semi-desértica. Grandes cactus realzan el paisaje.

Teacalco. "Lugar de la canoa de piedra", en náhuatl. Poblado del municipio de Amacuzac, estado de Morelos, México. Tiene ese nombre porque en el lugar se halla una piedra con forma de canoa. Hay un zoológico de 70 hectáreas con más de 100 variedades de animales de diferentes partes del mundo.

Teopanzolco. "En el templo viejo", en lengua náhuatl. Centro arqueológico ubicado en plena ciudad de Cuernavaca, Morelos, México.

Tepoztlán. "Junto al cobre", en náhuatl. Poblado turístico del estado de Morelos, México. Su bello paisaje montañoso y su mercado de artesanías resultan muy atractivos para los visitantes.

Tequesquitengo. "En la orilla del tequesquite" (salitre), en náhuatl. Concurrido lago navegable del estado de Morelos, México. Se practican deportes acuáticos y aéreos.

Toscana. Región de Italia, cuya capital es Florencia. En la Toscana se encuentra Siena, bellísima ciudad etrusca que se ha conservado intacta. Las piedras con que está edificada esta ciudad tan antigua son de un color castaño muy especial, tanto, que ha dado el nombre al color siena.

Tulum. Ruinas de importante ciudad maya, rodeadas de un espectacular paisaje: entre la selva y el hermoso mar Caribe. Quintana Roo, México.

Tundra. Vegetación enana que crece por manchones en las regiones muy frías. Puede encontrarse en laderas y faldas de las montañas donde es regada por el agua de los deshielos. En la montaña, esta vegetación suele tener un color quemado, cercano al rojo terracota.

Valle de las Reinas. Antiguo mausoleo egipcio enclavado en la roca caliza. Allí depositaban en sarcófagos a las mujeres de sangre real previamente embalsamadas. Las paredes interiores se decoraban con hermosos murales que todavía se conservan.

Valle de los Reyes. Junto al Valle de las Reinas. Excavaciones en la piedra caliza que sirvió de mausoleo a los hombres de la familia real egipcia. En este valle se encontró la tumba de Tutankamón.

Vendaval. Borrasca, tempestad. Tormenta de viento, a veces acompañada de lluvia.

Vikingos. Fornidos piratas escandinavos de hace muchos siglos.

Vizcacha. Roedor sudamericano del tamaño de una liebre.

Volga. Es el río más largo de Europa, nace en Rusia y desemboca en el mar Caspio.

Xochicalco. "En la casa de las flores", en náhuatl. Sierra del estado de Morelos, México. Los nativos xochicalcas se valieron de la topografía natural para construir las pirámides prehispánicas más importantes de Morelos. Observatorio muy visitado.

Zempoala. "Lugar de veinte aguas", en náhuatl. Lagunas al norte del estado de Morelos, México. Bosques de oyamel y pino.

Océano Pacífico

Océano Índico

Antártico

119

Se terminó la impresión de esta obra en julio 2006
en los talleres de Editorial Progreso, S. A. de C. V.
Naranjo No. 248, Col. Santa María la Ribera
Delegación Cuauhtémoc, C. P. 06400, México, D. F.